JAAP SCHOLTEN

Reisavonturen
&
Bedevaartstochten

PANDORA

Reisavonturen & Bedevaartstochten verscheen
eerder bij Uitgeverij Contact
Pandora Pockets maakt deel uit van Contact BV

Tweede, uitgebreide druk 2003

© 2001, 2003 Jaap Scholten
Omslagontwerp: Esther van Gameren, Utrecht
Foto auteur: Lenny Oosterwijk
Typografie: Jaap Scholten, Martijn Kempe

ISBN 90 254 2251 2
NUR 303

www.boekenwereld.com

Inhoud

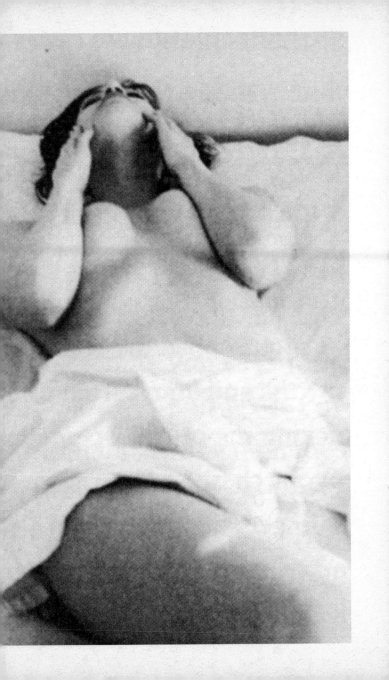

Zelda -
vertel me hoe te leven

Het was niet zo'n bijzonder feest. Het plafond was hoog, de vloer geelbruin en de laatste twintig man stonden te dansen alsof hun leven ervan afhing. Het mocht niet afgelopen zijn. Wie nu opstapte was een verrader. Een jongen met korte beentjes deed karatestoten en -trappen in mijn richting. Ik negeerde hem, een gecontroleerde mawasi-keri zat er niet in.

Ik danste met het meisje met het rode haar. Ik kende haar nauwelijks maar toen de muziek ophield en de tl's aantrilden fietste ik met haar mee door de ochtendschemering.

Ze heette Zelda. Ze bewoonde een treurige studentenflat. We konden de fietsen parkeren in een soort kelder en klommen daarna langs een buitentrap naar de vierde verdieping. De zon kwam al op. In de gemeenschappelijke ruimte stonden afgeragde, met velours beklede banken en twee heuphoge vetplanten. Op de rotzooi en de vrolijk bedoelde kleurtjes van de keukenkastjes na had het iets van een kazerne. Er leefden twaalf studenten, die ik gelukkig niet te zien kreeg. In haar kamertje van drie bij drie lag een matras op de grond. Waarschijnlijk waren we dronken. Toch brachten we de rest van de nacht voornamelijk pratend door. Ze kon slecht kussen. Ze was erg mooi, ze was heel lang en liep trots rechtop. Ze had mongoolse ogen en een scherp gesneden gezicht, maar ze hield haar lippen stijf, in verbittering, op elkaar. Ze haatte haar ouders, haar moeder vooral, en het dorp

waar ze vandaan kwam. Met stelen had ze
geprobeerd de verveling te verdrijven. Hoe
ingewikkelder de jatprocedure, hoe liever het
haar was. Ze stopte kleren achter spiegels van
kleedhokjes om die later weer op te halen en
in haar tas te steken. Ze had al die tijd niet
geleefd maar was, naar haar mening, geleefd.
Ze luisterde naar platen van Foetus en las in
een yogaboek dat haar 'erg hielp'. Het leven in
het dorp was dodelijk saai en nu, in de grote
stad, was het niet veel beter.

We spraken af naar Berlijn te gaan.

Bij een benzinestation ter hoogte van Holten
hadden we de eerste moeilijkheden. Het
was koud en winderig onder het afdak, de
schemering zakte over het land. Zelda keek
geringschattend en arrogant naar de schaarse
automobilisten en maakte ruzie met de pomp-
bediendes. Ik moest haar ervan weerhouden
stellingen met snoep om te trekken. Binnen
schuilen zat er niet meer in. Ze weigerde om
een lift te vragen. Haar ogen lieten weten dat ze
alle autobezitters uit het diepst van haar hart
verachtte. Eigenlijk hadden we daar moeten
omdraaien.

Nu, jaren later, vraag ik me af waarom ik
eigenlijk met haar naar Berlijn ging. Wilde ik
vooral met haar naar bed? Waarom dan zo
moeilijk gedaan? Hoopte ik dat er een verbond
zou ontstaan? Wilde ik Berlijn zien? Hoopte
ik de verbittering van haar lippen te kunnen
krijgen? Of was het een ongemotiveerde
impuls? Wat ik me duidelijk herinner is dat ik
daar onder het afdak van het benzinestation bij
Holten ervan doordrongen raakte dat de tocht
niet brengen ging wat ik verlangde, sterker nog;

dat ik opgescheept zat met een reisgenoot die ik, ware het niet dat ik een zachtaardig karakter heb, na enkele uren al wilde wurgen. Maar, en dat is misschien een belangrijker vraag, waarom ging zij met mij naar Berlijn?

De lucht kleurde donkerpaars en om het kwartier doken er twee koplampen op in de verte. We zouden nooit verder komen dan Holten. We hadden ook nauwelijks Nederlands geld bij ons (we hadden überhaupt weinig geld bij ons), een lauwe kroket konden we nog net betalen. Hij was zacht en smaakte naar meel en plastic. Ik zei dat ze moest lachen, dat we met dat sikkeneurige smoel nooit een lift zouden krijgen. We zagen er in onze zwarte kleren in het helle witte licht van het ESSO-station uit als verkleumde junkies.

Midden in de nacht bereikten we Hengelo, waar we een tussenstop maakten bij mijn moeder. De volgende dag was een koude, bleke dag. Mijn moeder probeerde ons bij de centrale verwarming te houden maar wij moesten voort. Een wit waas hing over de wereld en schiep afstand tussen de dingen en de mensen. Iedere handeling leek bij voorbaat overbodig. Heel lang stonden we net over de grens in Duitsland op een grote parkeerplaats omringd door niets dan geploegd akkerland, ver weg van iedere stad, vlak bij een snijpunt van wegen. De vrachtautochauffeurs loerden uit hun cabines op ons neer, of er iets te neuken viel.

's Nachts reden we in een grote Mercedes met een aardige, opschepperige man Berlijn binnen. Het was alsof de stad in een dal lag en wij over een bergtop kwamen. Duizenden lichtjes lagen onder ons te schitteren. Het was in de tijd dat Berlijn nog als een eiland in een

bolsjewistische zee lag. We doorstaken Oost-
Duitsland, passeerden een met stadionschijn-
werpers verlichte grenspost, met betonnen
antitankwallen en spiegels die onder de auto
werden geschoven om te zien of er niet een oom
of buurman tegen de cardanas geklemd zat.

We logeerden in een kraakpand, dat had
Zelda georganiseerd. Een jongen met halflang
haar die in niets leek op hoe je je een Duitse
punk voorstelt, opende de deur van het
kraakpand en bracht ons met tegenzin naar de
logeerkamer. In iedere stap die hij ons door
de hoge gangen zwijgend voorging klonk ver-
achting. Mijn familie had wel enigszins een
kapitalistische inslag. Mijn grootvader aan
vaders kant was een fervent anti-communist
en joeg met de nummer één op de hitlijst van
de Rote Armee Fraktion. Maar dat kon deze
Berlijnse kraker toch niet ruiken? Of straalde
het van mijn wangen? Blakerde ik te veel?
Zat mijn neus te recht in mijn gezicht?

Het gastenverblijf in het kraakpand was
een zaal met uitzicht op een brede straat met
klinkers en tramrails. De straat zag eruit alsof
de Russische troepen er net doorheen getrokken waren, als een zwart-witfoto uit '45.
Op vijf verspreide matrassen na was de zaal
leeg. Er waren geen gordijnen. We hadden het
geluk de enige logés te zijn. We haalden de
slaapzakken uit onze tassen en rolden die uit
op de klamme matrassen. Daarna gingen we
eten in een goedkoop restaurant dat Amadeus
Mozart of Johann Sebastian of zoiets heette.
De tafels waren driehoekig en je kon er alleen
vegetarisch eten. Zelda zat in een vegetarische
periode. Ze had het yoga-boek met de harde
kaft meegenomen in haar minuscule rugzakje.

Toen we in onze slaapzakken lagen, wilde ze mij in het licht van de straatlantaarns daaruit voorlezen. We lagen naast elkaar. We kusten niet, we raakten elkaar niet aan. Ik had geen enkele moeite me te bedwingen. De yoga-tekst deed het laatste restje verlangen verdampen.

De volgende ochtend bezochten we een tentoonstelling van moderne kunst in een imposant, classicistisch, verlaten schoolgebouw. Het meeste was liefdeloos kliederwerk op slap gespannen linnen. Zelfhaat, daar zaten we geen van twee op te wachten. Later zijn we naar Oost-Berlijn gegaan. Op ons eerste uitstapje het Oostblok in vonden we het toch wel plezierig samen te zijn. Met een getuige erbij verdween je minder makkelijk de Goelag Archipel in. De controle bij de grensovergang was streng en benauwend.

We hingen lange tijd op een enorm kruispunt van twee brede wegen rond. Op een hoek stond een militair, geen van de voetgangers liep door rood, ook al kwam er nauwelijks verkeer over de weg. Er hingen rode spandoeken over de volle breedte van de weg. Het leven had een rigide overzichtelijkheid die ons bij de strot greep. De stad rook naar bruinkool en de inferieure diesel waar de Trabantjes en andere botsautootjes op reden.

Bij een gebouw vol kogelgaten ontmoetten we een jongen die ons thuis uitnodigde. Hij leefde met zijn vrouw in een eenkamer appartement in een woonkazerne en verkeerde daarmee in een bevoorrechte positie. Hij was enkele jaren ouder dan wij en louter getrouwd vanwege de grotere kans op eigen woonruimte. Hij vertelde dat Oost-Duitsland het hoogste percentage echtscheidingen ter wereld kende.

Het interieur van de flat deed denken aan een goedkope Zweedse pornofilm uit de jaren zeventig, maar dan wat treuriger. Zij namen ons mee naar de hoogste toren van Berlijn, een soort Euromast, waar bovenin een glazen restaurant was dat langzaam ronddraaide.

De rest van de dagen brachten Zelda en ik gescheiden door. Afzonderlijk van elkaar legden we eindeloze afstanden af in de straten van Berlijn. Iedere nacht sliepen we zij aan zij. We raakten elkaar niet aan. Soms deden we verslag van wat we die dag gezien en beleefd hadden. Het had iets van een huwelijk tussen twee mensen die elkaar in de loop der jaren hadden losgelaten. Dat was niet oncomfortabel.

De laatste avond bezocht ik een door oproer-politie omsloten punkhol in Kreutzberg waar een Ramones-look-alike band speelde. Ik moest me naar binnen vechten. Ze speelden zo snel en lieten tussen de nummers zo weinig pauze vallen dat ik dacht dat ze het echt waren. De zanger was lang en slungelig als Joey Ramone. Het publiek werd uitzinnig. Gabba gabba hey.

Bezweet liep ik 's nachts langs de muur terug naar het kraakpand. In een shoarmazaak bestelde ik lam met knoflooksaus. Terwijl ik wachtte op de flarden lamsvlees die van het spit werden gesneden, las ik een van de brieven van Zelda. In de twee weken tussen de nacht dat ik haar ontmoette en het moment dat we samen naar Berlijn afreisden had ze me drie brieven gestuurd. Ze kon beter schrijven dan spreken. De irritatie die ik voelde in haar aanwezigheid - door haar stelligheid en Duits aandoende fanatisme - ontbrak. Ik hield van haar brieven: ... *Misschien ben ik morgen nog*

*in levende toestand, misschien ben ik dood
(geestelijk maar dat had je al begrepen). Laat
ik morgen verder schrijven (als ik dan nog leef).
Af en toe kan ik helder nadenken. Het heeft
wel met yoga te maken. De voornaamste gedachte
daarvan is dat ik mezelf moet betrappen op
triviale gedachten. Zolang ik me dat realiseer
zie ik het ware licht (ik ben nog geen lid van een
sekte hoor). Ja ja, hoe een mens nog uiteindelijk
ten goede kan keren...*

Daar had ze het alsmaar over: triviale
gedachten. Die waren verboden, 'triep' noemde
ze dat. Wat zuiver was en wat vals, daar was ze
de godganse dag mee in de weer. En energie,
ze zag alles in termen van energie. Daarom was
ik in eerste instantie okay, omdat ik zo veel
energie had.

's Morgens aten Zelda en ik yoghurt en müsli
in een hal die paars met groen geverfd was.
We betaalden een bescheiden bedrag voor de
overnachtingen en ontbijten en werden zonder
verder een woord uitgelaten. Het liften terug
naar Nederland ging heel voorspoedig; even
buiten Berlijn kregen we een lift rechtstreeks
naar Utrecht. Het laatste stuk legden we per
trein af. We zeiden elkaar gedag en spraken en
schreven niet meer.

Op een feestje bij Jack weken later hoorde ik
dat het niet goed met Zelda ging. Jack zat als
een maharadja boven op zijn verhoogde bed
en sloeg zijn feest gade. Af en toe klom
iemand de ladder op en voerde een gesprek met
hem. Toen ik als een aapje met een glas in
de hand naar boven klauterde om afscheid te
nemen, vroeg hij of ik Zelda recentelijk nog
had gezien. Hij vertelde dat ze in een diep dal

zat en was opgenomen in het ziekenhuis. Dat ze zich 'gewoon heel slecht voelde'.

De volgende dag fietste ik aan het eind van de middag naar het ziekenhuis. Het werd al donker. Het ziekenhuis lag in een nieuwe wijk aan de rand van de stad. Met de lift ging ik naar boven, naar de derde verdieping waar zich de afdeling psychiatrie bevond. Aan de dienstdoende verpleegster vroeg ik op welke kamer Zelda lag en of ik haar spreken kon. Een oudere mevrouw werd erbij geroepen. Deze nam mij mee over de gang een spreekkamertje in. Ik nam aan dat deze kamer grensde aan Zelda's kamer. Ik had een dik fotografietijdschrift gekocht met prachtige foto's. Het zat ingepakt in bruin pakpapier met een strik. Ik hield het in mijn rechterhand, samen met een witte chocoladereep. Chocola is goed als je je slecht voelt.

Het kamertje had een houten kastenwand, als een archief. Het herinnerde aan het wachtkamertje van de conrector van mijn middelbare school, waar je je moest melden wanneer je de klas was uitgestuurd. De vrouw draaide zich naar me om en zei dat ik ook maar even moest gaan zitten. Ze vroeg of ik een goede vriend van Zelda was. Ze vroeg wanneer ik haar voor het laatst gezien had, of ik veel contact met haar had. Ze keek een beetje gespannen, moederlijk ook. Ik kreeg het gevoel dat er iets raars aan de hand was; waren ze zo streng met wie er bij haar langs kon komen, ging het nog slechter? De vrouw liep heen en weer voor de kastenwand terwijl ze me de vragen stelde. Ze trok een stoel onder de tafel uit, ging zitten, vouwde haar handen in elkaar en staarde naar haar duimen.

Ze hief langzaam haar hoofd op. Ik moest denken aan een vogel die zo uit de lucht gaat vallen. Ik voelde de spieren in mijn kuiten trillen. Mijn bovenbenen leken van hout. Ze probeerde mij te vangen met haar ogen. Ik keek naar de tafelrand en streek met mijn linkerhand onder mijn kin langs.

Toen zei ze zachtjes wat ik eigenlijk al wist: 'Zelda leeft niet meer.' Pauze. 'Ze is vanmiddag van het dak gesprongen.'

THE ORANGE
TREE TRANSFORMATION

PERFORMED WITH GREAT SUCCESS IN ENGLAND AND AUSTRALIA BY
CHUNG LING SOO.

The time occupied to present trick 2 to 4 minutes. Approximate weight in packing
case 150 pounds. Suitable for Lady or Gentlemen. Number of persons
required 2. Travels in 2 pieces of baggage.

In this brilliant effect, young lady mounts a small table several feet high. A
large cone open at both ends thus enabling audience to see right through, is next
proven to be empty. Cone is now lowered over young lady and upon being raised,
a beautiful orange tree is seen from which real oranges are cut and distributed
amongst audience. In the meantime, the lady may reappear from any part of the
house that the artist may fancy.

Really a great effect and a modern success.

Price complete with packing case for road use, ~~$300.00~~.

Witte kerst

Het was 24 december en het begon donker te
worden. We stonden langs een B-weg, tachtig
kilometer ten zuiden van Nancy, tegen een
druipende kastanje bij een vervallen herberg
die dienst deed als opslag van gebruikte bouw-
materialen. Uit het noorden reutelde een
Renault 4 naderbij.

Ik sopte snel naar de berm en stak mijn
duim in de lucht. In de drie uur dat wij er
stonden waren er nog geen twintig auto's gepasseerd, voor het merendeel gele zandvracht-
auto's, die wij afzonderlijk telden, hoewel het
niet onwaarschijnlijk was dat het steeds
dezelfde betrof. Mijn hart sprong op toen ik
door de regenwolken heen een tegenwaards
dopplereffect hoorde. Met het geluid van een
Formule-1-auto die de pits in draait kwam het
Renaultje tot stilstand. We renden door de
plassen naar de auto en grepen de deurklinken
vast, voordat de bestuurder zich kon bedenken.

Een kolossale vrouw keek ons berustend
aan. Blij keken wij terug, en probeerden zo
onschuldig, lief en dankbaar mogelijk voor de
dag te komen; dat het haar duidelijk was dat zij
zonder gevaar voor eigen leven of ongewenste
intimiteiten deze twee mannen kon laten
instappen. Het leek haar weinig te kunnen
schelen. Ze knikte ons toe dat we plaats
moesten nemen en trok op. De ruitenwissers
schuurden over het glas. Met haar hand wreef
zij af en toe een cirkel op de beslagen voorruit
schoon, zodat zij een bescheiden patrijspoort

had met uitzicht op de weg. We produceerden een hoeveelheid condens waar vijf doorweekte bouviers niet tegenop hadden gekund.

Ze was tegen de zestig. Zij moest mooi geweest zijn. Ze was aards, haar handelingen afgemeten. In zichzelf gekeerd keek zij vooruit en hield met twee vuisten het stuur omklemd. Op onze vraag of zij zuidwaarts ging had zij niet gereageerd. De vanzelfsprekendheid waarmee zij ons meenam en haar afkeer van de gebruikelijke lifters-smalltalk maakte haar sympathiek.

Wij reisden in de richting van de Middellandse Zee met als voornaamste drijfveer: weg van Nederland, weg van het benauwende familie-gedoe; naar de zon, naar de landen waar ze het leven niet al te zwaar nemen. Ik was negentien en ik had al enkele jaren eerder begrepen dat een verstandig mens zorgt dat hij rond de kerst in het buitenland zit. Ik was samen met een jongen, Martin, die bisexueel en filosoof was, wat mij fascineerde maar ook angst inboezemde. Dat eerste dan. Hij introduceerde bij mij denkers en drugs die ik niet kende. Twee regenachtige dagen en twee ijskoude nachten waren we onderweg. De eerste nacht hadden we in een leegstaand gebouw aan de oever van de Maas geslapen; de tweede nacht in een trappenhuis op de bovenste verdieping van een flat aan de rand van Nancy. Door de temperatuur, het lichte schommelen van de Renault en het hypnotiserende geruis van de regen vielen Martin en ik na drie tellen in slaap.

We werden wakker doordat de auto tot stilstand kwam bij een payage. Het was inmiddels stik-donker. We waren bij Lyon. De vrouw vroeg ons wat we wilden, waar ze ons eruit zou zetten.

'Bij een telefooncel bij voorkeur,' zei ik, 'ik zou mijn moeder bellen, dat heb ik beloofd.'

We reden door een lange tunnel. Ik kreeg het koud bij de gedachte zo meteen die lekkere warme auto uit te moeten. De snelweg slingerde langs de rivier door de stad. De vrouw stuurde de auto de zesbaansweg af, een havengebied in. We passeerden olietanks en braakliggende terreinen met uitgerangeerde wagons. We trilden over de kasseien. Voor een verlaten, zijwaarts hellend huis aan de rand van het industriegebied parkeerde zij het Renaultje.

'We zijn er. Kom.'

We volgden haar gedwee, niet wetend wat de bedoeling was. Moesten we vanaf dit punt verder gaan liften? Dacht ze dat dat handig was? Kregen we een boterham van haar? Mochten we haar telefoon gebruiken? Het huis was klein en sober ingericht met hier en daar een armetierig schilderijtje. Ze wees ons een kleine kamer grenzend aan de hare. Het was er vochtig en het rook naar beschimmelde boeken.

'Mijn man is al een eeuwigheid dood, jullie kunnen alles gebruiken.'

Het klonk uitnodigend, toch trokken we droge, eigen kleren aan en poetsten onze tanden. Martin bracht verse mascara aan onder zijn filosofenogen.

'Ik denk dat we hier mogen logeren vannacht.'

'Ik weet het niet, ik weet het niet.' Het kon ook dat ze gif aan het mengen was. Ik controleerde of ze haar overleden echtgenoot ergens bewaard hield. Ik sloot niet uit dat die al jaren met stro of piepschuim opgevuld, de huid met aluin bewerkt, in een stoel in de hoek van de kamer of in een van de kasten zat of stond te

wachten op gezelschap. We durfden haar kamer
niet in, bang voor wat we aan zouden treffen.
Als twee welopgevoede jongens wachtten we
af wat komen ging.

De deur vloog open en daar stond zij in een
spierwitte country-outfit. Een witte leren jas
met franje, witte leren rok, witte laarzen en een
grote, witte cowboyhoed. Het was eerder
vertederend dan ordinair. Ze straalde, stak haar
armen uitnodigend uit en zei: 'Kom!'

Wij haakten in en liepen met haar naar de
auto. Eerst gingen we naar de film. *Selig* van
Woody Allen, in het Frans nagesynchroniseerd.
Zij trakteerde en wij moesten steeds aan weerszijden lopen en haar vasthouden. Ze noemde
ons haar jongens. Daarna gingen we iets eten in
een Japans restaurant. Eén wand bestond
uit een enorm aquarium met gele, groene en
blauwe, in de schijnwerpers oplichtende vissen.

Martin en ik namen beiden een goedkoop
gerechtje om haar niet op kosten te jagen. Zij
at niet, nam enkel sake en stond erop dat
wij met haar meedronken. De conversatie liep
stroef door ons slechte Frans, de sake en
luide muziek. We lachten haar zo vaak mogelijk
bemoedigend toe. Ze vertelde dat haar zoon
aan de heroïne was. Dat hij al zes jaar niks van
zich had laten horen. De langszwemmende
vissen werden gereflecteerd in haar witte leren
jas. De hoed had zij afgezet omdat het touwtje
hinderde bij het drinken.

Nadat zij het vijfde karafje sake leegge-
dronken had, rekende zij af. Gegeneerd
omdat zij alles voor ons had betaald, haakten
wij weer in. Terug in haar huisje dempte
zij het licht en ontdeed zich wankelend van
de cowboy-outfit.

Wij stonden zoemend van de sake bij de deur van haar slaapkamer. Als een reuzin van klei lag ze op haar rug met zijwaarts gestrekte armen en gebood ons naast haar te komen liggen. Zwijgend kleedden wij ons uit en kropen ieder aan een kant naast haar onder de gelige lakens van het vooroorlogse bed. Zij drukte ons tegen haar blanke moederlijke borsten, slikte tweemaal en fluisterde hees: 'Beloof me dat jullie nooit meer bij me weg zullen gaan.' En viel in een diepe, snurkende slaap.

Hollywood
Mama

De polaroid is genomen in een motel. Over het gehele beeld ligt een groengelige filter. Het eerste dat je je afvraagt als je hem ziet is hoe zo'n oude man een dergelijke stoot heeft weten in te palmen.

Hij draagt een wit overhemd waarvan de bovenste drie knopen open zijn. Hij zit op een tweezitsbank en lacht als een goedig boertje. Hij heeft een verweerde kop en grijs haar. Op de foto's die er van hem op jongere leeftijd zijn genomen, staat hij steeds zelfverzekerd, in onberispelijk driedelig grijs, als een tycoon. Van deze foto straalt een vrolijke armoede af. Hij ziet eruit als iemand die zijn leven tot kunst wist te verheffen, vrij van angst, met een dadaïstische baldadigheid.

Dit is hem dus, Chuck, mijn oom Chuck. Zijn voeten rusten op het lage tafeltje voor hem.

Over de volle lengte van de bank ligt de Mexicaanse vrouw, met haar hoofd in zijn schoot. Ze kijkt richting camera, ze heeft krulspelden in en lacht met haar mond en ogen wijd open. Ze draagt een kort rokje en heeft prachtige heupen. Ik denk dat ze van elkaar houden. Op de tafel liggen twee pakjes sigaretten. Onder de tafel staan zwarte cowboylaarzen, waarschijnlijk van haar, want zij is blootsvoets. Zij maakt de indruk niet zo lang daarvoor gedoucht te hebben. In de spiegel achter hen een streep televisiebeeld. Onder de spiegel is een plank, daarop staan twee porseleinen konijnen, de een op de rug van de ander. Verder niks.

'Ik kleed me eerst wel aan en ga dan naar buiten, dan hebt u de ruimte,' zeg ik slijmerig. De waarheid is dat ik zo preuts als de neten ben en niet in mijn blote kont in dat hokje wil staan draaien en klungelen tegelijk met die twee. Het rolgordijntje is nog dicht. Ik heb mijn spijkerbroek aan voordat zij hun dikke brillen hebben kunnen opzetten. Het is 3 juni 1991, ik zit in de Oriënt-Express naar Boekarest, naar een oom die daar ambassadeur is. *On a mission from God.* De onrust stuwt mij voort. Ik heb mijn studie aan de Technische Universiteit in Delft opgegeven en een halfjaar eerder is mijn eerste boek gepubliceerd, *Bavianehaar & Chipolatapudding*. Behalve dat ik het leven wil leven heb ik vooralsnog geen vastomlijnde plannen. Ik deel een couchette met een ouder diplomatenechtpaar. De man trekt zijn slippers aan en ik zoek, discreet als ik ben, de ruimte van het gangpad.

Het Oostenrijkse landschap doet denken aan de Märklin-trein van mijn broers, de weilanden lijken gedweild en de bomen gestofzuigd. Het is alsof er een reusachtige kaasstolp over de bergen en bossen is gezet. Ik kan me voorstellen dat mensen in zo'n systematisch proper landschap een verlangen tot moorden krijgen.

'Hoe word je eigenlijk ambassadeur?' vraag ik iets te gretig aan de corpulente hoofd-inspecteur Oost-Europa, op dienstreis voor Buitenlandse Zaken, die naast mij in het gang-pad is komen staan om zijn pijpje te stoppen. 'Is daar een opleiding voor? Of word je benoemd?'

Toen ik even daarvoor met mijn hoofd in de wind hing, naar de groene grassprietjes keek en de nieuwe dag in mijn longen zoog, had ik het idee dat het allemaal binnen een uur

geregeld zou kunnen zijn. Een ter plekke geschreven briefje met een zwierige handtekening
eronder, en de mededeling: 'Geef dit maar
aan onze man in Tirana, hij wacht op aflossing.
De secretaris aldaar legt je de dagelijkse gang
van zaken verder wel uit.'

Maar nu de man in al zijn zwaarwichtigheid
naast me aan zijn pijpje staat te lurken en
bedachtzaam naar buiten staart, besef ik dat
het zo niet in elkaar zit. Je moet er natuurlijk
voor doorleren, heel gemotiveerd zijn, over na-
gedacht hebben, et cetera. Ik zie de klasjes .
met uitslovers al bij elkaar zitten, vol ongeduld
op het puntje van hun stoel, het rollenspel
'evaluerend'. Laat maar. Voordat het hoofd Oost-
Europa van wal steekt, weet ik wat er komen
gaat. Ik kijk naar buiten en zie twee lesbische
koeien. Als ik na zijn betoog voorzichtig
vraag: 'Voor het consulschap gelden dezelfde
eisen?', volgt er weer zo'n gebed zonder
einde. Ook voor deze luizenbaantjes zoeken ze
tegenwoordig strebers.

Oom Coen, die nu in Boekarest woont, ken
ik nauwelijks omdat hij altijd in het buitenland
- Londen, Zuid-Afrika, Zuid-Amerika, Cuba -
heeft gezeten. Doordat hij handelt naar wat
zijn gevoel voor rechtvaardigheid ingeeft, is hij
voor zijn laatste post - usance is een erepost -
naar een uithoek achter het IJzeren Gordijn
verbannen. Op het moment dat in Ceauşescu's
Roemenië de revolutie uitbrak, was hij
een van de weinige buitenlanders die het lef
had de straat op te gaan. Er was nauwelijks
internationale pers - en al helemaal geen
onafhankelijke nationale pers. Zodat hij
- auto en chauffeur waren nergens te bekennen -
op zijn fiets de stad in ging om te rapporteren

wat er gaande was. In één klap werd Boekarest de interessantste post op aarde en Coen wereldberoemd. Op de voorpagina van de *Times* werd in grote letters de Amerikaanse ambassadeur geciteerd die over Coen zei: 'A man with a heart as big as Texas.'

In mijn familie worden onregelmatigheden met zorg onder het vloerkleed geveegd. Soms lijkt het alsof de familie generatie op generatie niets dan hardwerkende, brave, gelukkige mannen en vrouwen heeft voortgebracht.

Doordat mijn oma terloops, per ongeluk bijna, iets over Chuck vertelde, ben ik achter zijn bestaan gekomen. Charles Theodor Stork, mijn verdwenen oudoom-avonturier, de oudste broer van mijn grootvader. Een man die, te oordelen naar de summiere gegevens die ik over hem heb, een held was. Een man die als kind al niet wilde deugen. Die de buitenvrienden - mijn overgrootouders maakten een strikte scheiding tussen de huisvrienden, die binnen mochten komen, en de buitenvrienden - thuis uitnodigde en voor een spel met dezelfde buitenvrienden bij de gieterij van de fabriek een vrachtauto vol kanonskogels bestelde. Een man die te veel temperament bezat voor de fluwelen loopbaan die voor hem uitgerold lag.

Ook Coen is geïntrigeerd door Chuck. Hij heeft hem als kind enkele malen meegemaakt. Hij is de enige die nog over hem kan vertellen. Chuck trouwde vijf- of zesmaal. Zijn laatste vrouw was een Mexicaanse, die volgens mijn oma geen woord Engels sprak. Chuck sprak Spaans en eigenlijk sprak hij liever geen enkele andere taal meer (volgens mijn oma dus, wat wel met een korreltje zout genomen moet worden,

want ze is de laatste tijd een beetje in de war).
Uiteindelijk zou hij als nachtportier op een
industrieterrein in Michigan geëindigd zijn, een
detail dat me beviel. Ik sla de mislukking
hoger aan dan het succes. Ik reis vijfduizend
kilometer om de sporen van deze oudoom te
achterhalen. Ik ben iemand van heldenverering
en het lijkt erop dat ik eindelijk een rolmodel
op het spoor ben.

Wat te doen, hoe te leven, dat is wat ik mij
ongeveer dagelijks afvraag. De activiteiten
die ik om mij heen signaleer, met hoeveel verve
ook uitgevoerd, en waar men mij toe tracht
te verleiden, zo niet te chanteren, komen mij
tamelijk zinloos voor. Toen ik op de laatste
familiebijeenkomst tijdens het toetje meedeelde
dat ik nu sterk neigde te kiezen voor een
carrière als postbezorger - veel buiten, plezierige
uren, vrij als een vogel - werd er lauwtjes
gereageerd. Ik probeer mij zo min mogelijk
van mijn omgeving en haar oordelen aan te
trekken, toch moet ik bekennen dat ik mij nog
steeds niet echt onthecht heb. Ik ben nog niet
de boeddha op de rots die ik graag zou willen
zijn. Met het zien van *Under the Vulcano*
afgelopen week laaide mijn ondergesneeuwde
enthousiasme voor een baantje als consul
weer op, of ambassadeur, het is mij om het even.
Die laatste heeft meer personeel onder zich;
als ik het goed begrepen heb, niet direct een
voordeel, je moet die mensen bezighouden
en het zijn extra ogen die in de gaten houden
hoeveel tequila je drinkt. Eigenlijk zijn
het maar ambtenaartjes, in het buitenland
weliswaar, maar toch. Fax, e-mail en
het moderne vervoer zullen op korte termijn
trouwens die hele dienst wel overbodig maken.

Nee, dan Chuck. Een man op zichzelf. Mijn voorliefde gaat sterk uit naar zo'n man van mythologische proporties, zo'n man die in z'n eentje Amerika verovert. Ik moet álles over hem weten.

We rijden Wenen binnen, waar ik twee uur moet wachten op de trein die me naar Boedapest zal brengen. Bejaarden met bespottelijke hoedjes met veertjes eten gulzig taartjes terwijl ze uit hun ooghoeken naar het decolleté van de serveerster loeren. Niet te geloven dat deze stad aan het begin van de eeuw de hoogste genieëndichtheid ter wereld bezat. Freud, Einstein, Wittgenstein, Klimt, Mach; ze woonden bij elkaar om de hoek.

Het diplomatenechtpaar laat ik achter mij. Het is me duidelijk dat het niet binnen zijn bereik ligt om mij in één keer in een top-positie te katapulteren en ik heb geen zin mijn tijd langer te verdoen. Ze hadden trouwens thuisbereide boterhammen bij zich, in een broodtrommeltje. Ieder een eigen broodtrommel-tje. Vijftig kilometer voor Wenen werden die te voorschijn getoverd. Naast de boterhammen, die in doorzichtig plastic folie gewikkeld zaten, als mummies, paste precies een banaan. Ze moesten kracht zetten om de banaan tussen de boterhammen en de broodtrommel-wand los te trekken. Waarschijnlijk was de banaan door de hitte een beetje uitgezet. Op identieke wijze hielden ze de broodtrommel-tjes op hun bovenbenen, hun knieën tegen elkaar geklemd, als een vrouw die bang is onder haar rok gekeken te worden. Ze droegen dezelfde corduroybroek. Ik werd overrompeld door een gevoel van totale zinloosheid terwijl ik ernaar keek, alsof ik in een diep zwart gat viel. Het plastic maakte bij het afwikkelen van de boterhammen een geluid als een pleister die van een harige arm wordt getrokken.

In de trein kijk ik graag uit het raam zonder in mijn mijmeringen gestoord te worden. Daar word ik rustig van. Dát, en lang mijn hoofd onder water houden, zijn ongeveer de enige twee dingen waar ik rustig van word, dus ik was allang blij ze kwijt te zijn, helemaal na die boterhammen.

Mijn moeder heeft tot ik puistjes begon te krijgen volgehouden dat ik een reïncarnatie van John F. Kennedy was. Omdat we toevallig dezelfde eerste twee initialen hebben en ik dicht bij zijn sterfdag geboren ben. Oude mensen weten precies wat ze deden op het moment dat Kennedy werd doodgeschoten. De meeste mensen zeggen het grasmaaien gestaakt te hebben om met het voltallige gezin op de drie-zitsbank in elkaars armen te gaan liggen janken. Ik had hetzelfde gedaan: de mogelijk-heden om je collectief in het verdriet of geluk te storten zijn schaars in een mensenleven.

Alleen de miljardair Howard Hughes hield het hoofd koel: hij was een man die onder geen enkele omstandigheid zijn eigen belangen en mogelijkheden uit het oog verloor. Toen Robert F. Kennedy een paar jaar later ook werd doodgeschoten, lag Hughes zoals gewoonlijk in bed, met de afstandsbediening in zijn hand en de televisie, vanwege zijn gedeeltelijke doofheid, op maximaal volume. Hij had de tegenwoordigheid van geest om zijn adjudant Bob Maheu de opdracht te geven onmiddellijk de gehele Kennedystaf op de loonlijst te zetten: 'I hate to be quick on the draw, but I see here an opportunity that may not happen again in a lifetime. I don't aspire to be President, but I do want political strength…'

Mijn interesse voor Howard Hughes is gewekt doordat Chuck met hem bevriend was. Ik lees *Citizen Hughes* in de hoop meer over Chuck te weten te komen. Waren zij dezelfde soort mannen? Op zijn twintigste had Hughes zich een aantal min of meer ambitieuze doelen gesteld: 'My first objective is to become the world's number one golfer. Second, the top aviator, and third I want to be the most famous movie producer. Then I want you to make me the richest man in the world.' Alleen dat golfen is hem niet gelukt. Ik weet niet of Chuck zulke bescheiden voornemens koesterde. Ze vlogen beiden, ze hadden beiden eigen vliegtuigen, ze kwamen beiden uit well-to-do families, ze lieten ongeveer even vaak hun band met een vrouw officieel bezegelen en ze stierven beiden in eenzaamheid. Gedeelde passies zijn het basisingrediënt voor mannen-vriendschappen. Vliegtuigen, vrouwen, geld.

Na zijn gloriejaren als vlieger, filmproducent en veroveraar van de mooiste en beroemdste vrouwen van de wereld (Katherine Hepburn, Ava Gardner, Gloria Swanson, Lana Turner, et cetera) trok Howard Hughes zich terug op de bovenste verdieping van het Desert Inn Hotel in Las Vegas, dat hij kocht om privacy en juiste bediening veilig te stellen. Hij schafte zoveel mogelijk hotels en grond in Las Vegas aan om zich te verzekeren van de controle over zijn omgeving. Hij had smetvrees en de voor-schriften die zijn hygiëne moesten waarborgen werden met het uur uitgebreid. Tegelijkertijd liet hij zijn haar tot over zijn schouders groeien, zijn nagels waren zo lang dat ze krulden als kurkentrekkers. Als een oude heks lag hij afgesloten van alles en iedereen in zijn bed, verslaafd aan codeïne. Xenofoob als de hel. Ik begrijp nu wel dat Chuck met zijn koffiekleurige Mexicaanse niet tot het einde der dagen bij Hughes op de thee kon blijven komen. De rijkste man van de wereld. Het moge duidelijk zijn: dat bleef hij tot aan zijn dood. De laatste dagen sleet Hughes in het Acapulca Princess Hotel. Een kwart eeuw drugsgebruik had hem gesloopt. Uitgedroogd en half in coma werd hij op 5 april 1976 door zijn mormoonse slaven in een van zijn vliegtuigen geladen en van Acapulco, Mexico, naar Texas gevlogen. Op een halfuur van Houston op een hoogte van duizend meter overleed hij.

In de rijdende trein zitten, wat eten, jus d'orange met ijs drinken, een schoon tafellaken, een grote vriendelijke ober, muziek luisteren, wat lezen, op de kaart van Hongarije en Roemenië kijken, af en toe een foto maken. Zo zitten, dat is bijna het paradijs. Kon ik hier in de hoek in één keer tot Boekarest blijven zitten.

In Boedapest moet ik vijf uur stukslaan totdat de trein naar Roemenië vertrekt. Het is bloedheet, ik rijd per taxi naar het Gellért Hotel om een stoombad te nemen. Ik ben voor het eerst van mijn leven in een Oostblokland en heb een slof Marlboro-sigaretten bij me in de veronderstelling dat deze mijn bezoek aan dit deel van de wereld aanzienlijk zal oliën. Op het dashboard van de Lada heeft de chauffeur verscheidene pakjes Camel filter liggen, ik kom vijf jaar te laat. Ik besef hoe kwetsbaar ik ben als ik met niets dan een lendedoekje

het kleedhok met mijn bezittingen verlaat en het
naar autobanden ruikende stoombad tegemoet
schuifel. Het is niet veel, maar mijn paspoort,
mijn geld en de zwarte map laat ik niet graag
alleen. De zwarte map die ik jaren geleden in
Barcelona heb gekocht en waar ik mijn aantekeningen over Chuck in bewaar. De gegevens
die ik met veel sherry en dreinen uit mijn
oma heb weten te peuren. De oude man die ik
in het bejaardenhuis bezocht, wiens hoofd als
een metronoom heen en weer knikte en waar
geen zinnig woord meer uit kwam, alleen een
schaterlach iedere keer als ik 'Chuck' zei. Het
ene jeugdfotootje dat oma van Chuck had, in
zijn matrozenpakje, de voorbeeldige jongen met
het vierkante hoofd, zit ook in de map.

Harde Duitse marken werken, ontdek ik als
de trein Boedapest uit rijdt en ik de man die
de bedden beheert, tracht te overreden mij voor
minder buiten het officiële kanaal om een
bed te verhuren. Dat lukt. Uit het raam van de
slaapcoupé zie ik bij een laag huisje twee
mannen een hond vasthouden terwijl een kind
het dier met een tuinslang schoon spuit.

Na een eindeloze nachtelijke rit door Transsylvanië met veel en schijnbaar willekeurig
stilstaan op zijsporen, rijden we Boekarest
binnen. Op het station is het druk. Het is
er stoffig. De taxi rijdt langs halfafgebouwde
flats. In de weg zitten enorme kuilen. Sinds
Ceauşescu's val ligt de bouw stil. De ambas-
sadewijk is groen, maar het is alsof de
bomen het gevecht tegen de vervuiling niet
aankunnen en langzaam sterven.
Voor het hek staat een blauwe Mercedes
klaar. De Nederlandse ambassade is een groot,

wit gebouw met een balkon over de volle breedte,
een pilaar en twee wachtlopende militairen.
In het souterrain van de ambassade rust een
houten bank afgeladen met wanhopige
mensen met documenten in hun hand. Aan een
bloedmooie dame achter de balie, beveiligd
met dik perspex met kleine spreekgaatjes
vraag ik waar Coen is. In gebroken Nederlands, dat maakt dat ik ter plekke op mijn
knieën wil gaan om haar hand te vragen
en eeuwige trouw te zweren, legt ze uit dat de
ambassadeur zich waarschijnlijk in de naast-
gelegen residentie bevindt.

Hij is er! De hele rit heb ik in de rats gezeten
dat hij er niet zou zijn. Doordat de telefoon-
verbinding minimaal is, heb ik per brief mijn
komst aangekondigd, maar doordat ik nooit
iets van Coen had terug gehoord, wist ik niet of
hij die brief had ontvangen. Coen loopt met
grote stappen de trap af en begroet mij. Zijn
chauffeur komt achter het stuur van de blauwe
Mercedes vandaan om de deuren te openen, een
grote man die ik ook de hand schud - je moet
een beetje aardig zijn tegen die Roemenen, ze
hebben het al zo moeilijk.

'Ik moet een handelsdelegatie begeleiden,
de staatssecretaris is erbij, computers, wil je
mee? Er is een lunch of zoiets, aan het meer van
Snagov, het vaste buitenhuis van Ceaușescu.'

'Graag. Kan ik zo mee? In deze kleren?' Ik
zie een groot paleis à la Schönbrunn voor
me waar ik met de staatssecretaris op de witte
trappen met de champagne in de hand de stand
van zaken doorneem.

'Geen probleem. Kom! Stap in. Zullen we
de vlag op doen?'

Een paleis zo wit dat het pijn aan je ogen doet.

Misschien iets compacter dan Versailles, niet zo slordig verspreid door de tuin, maar van die orde. Misschien heeft het voor dergelijke bouwwerkjes gebruikelijke Europese classicisme of de aanstellerige barok enige heilzame oosterse invloed van de overzijde van de Donau-delta ondergaan en strijkt de sfeer van duizend-en-één-nacht door de zalen en de gangen. Die man mag dan megalomaan geweest zijn en een tikkeltje dominant, hij laat wél wat na. Dat moet je niet vergeten. En daar gaan wij nog deze dag met volle teugen van genieten.

Ik weet niet wat het betekent maar zeg: 'Ja, vlaggetjes!'

De chauffeur stapt uit, opent de achterklep van de Mercedes, haalt er een rood-wit-blauwe vlag uit en bevestigt die aan de voorkant op de hoek van de motorkap. We vertrekken. We scheuren over de brede verlaten avenues van Boekarest. Er rijden nauwelijks auto's, af en toe passeren we een houten kar getrokken door een os of een levensmoe paard. Ik nestel mij in het blauwe velours van de bank. De vlag wappert in de wind. Ineens weet ik weer waarom ik ambassadeur wil worden. Nu is het moment, ik moet er maar direct over beginnen.

'Zeg Coen, is het waar dat...?'

'Als je schuin achter deze huizenrijen kijkt dan zie je dat het alleen maar façades zijn. Ceaușescu liet die hier langs de weg naar het vliegveld zetten, omdat dit is wat de meeste buitenlanders zien. Daarachter staan de schuren waar de mensen leefden. Op het platteland joeg hij de bevolking uit de oorspronkelijke huizen. 'Systematisering' heette dat. Hij rukte de harten uit de dorpen. Vijfduizend dorpen heeft hij vernietigd. Als ze hem niet hadden geëxecuteerd was hij net zolang doorgegaan tot er geen dorp meer over was geweest, alleen maar flats. Dat is een stuk overzichtelijker, kon hij zijn volk makkelijker onder de duim houden.'

'De schoft.' Ik heb de doopceel van Nicolae niet gelicht, maar met deze classificering kan ik de plank niet al te zeer misslaan. Op

het moment van de Roemeense revolutie zat ik temerig alleen kerst te vieren in het goedkoopste pension van Granada. Vrienden die kranten lazen en televisie keken en die zich later in Cordoba bij mij voegden, hadden het over de slachting en huilden. Ik vond dat eerlijk gezegd wat overdreven. Het pleit niet voor mij, maar veel van de ellende van de wereld glijdt van mij af als water van een eend.

'De huidige regering gebruikt het gastenverblijf van Snagov voor vergaderingen en ontvangsten.'

We verlaten de grote weg, slaan rechtsaf. Langs de smalle weg naar zijn buiten heeft Ceauşescu alle boerderijen laten afbreken.

'De laatste jaren sliep hij vrijwel altijd op Snagov, hij was te bang om in Boekarest te slapen. Hij had meer buitens, een stuk of veertig, in iedere provincie had hij een huis waar hij sliep als hij de provincie bezocht, maar dit was zijn voornaamste buiten. Daarnaast had hij een aantal jachtsloten. De trofeeën waarmee hij zich liet fotograferen en waarmee hij internationale jachtwedstrijden won, werden door anderen geschoten.'

Uit de rijkelijk geïllustreerde jachtboeken van mijn grootvader herinner ik mij zestienenders, wilde zwijnen en beren van voorwereldlijke proporties, met het steevaste bijschrift: 'N. Ceauşescu, Roemenië'. We rijden langs van

landbouwplastic en stokken opgetrokken tenten,
het kampement van boeren die naar hun oude
grond zijn teruggekomen. Het landschap is
licht glooiend, veel kaal akkerland.

'Is het waar dat jij foto's van Chuck hebt?'
'Ja, dat klopt. Een stel, die heb ik, ergens.
Ze zeggen dat Vlad Tepes - Dracula - op het
eilandje midden in het meer van Snagov
begraven ligt. Ceauşescu werd in de volksmond
'Dracul' genoemd. Hij had ook van die uitstaande
hoektandjes.'

De Mercedes stopt voor een zwaar, groen
hek. Het wemelt van de militairen in groene
camouflagepakken. Enkele woorden van de
chauffeur en we mogen door. We rijden een
met dichte dennen omzoomd stuk terrein op.
Aan de rand van het meer ligt een kolossaal
chalet. De Nederlandse vlag vouwt zich met
gevoel voor stijl om het vlaggenstokje als de
Mercedes halt houdt voor het huis. Ik ben
ervan overtuigd dat deze Belgische villa
de dienstwoning van de tuinmannen of de
lijfwachten was, maar uit Coens doen en laten
begrijp ik dat dít Ceauşescu's huis is. Dat kan
niet! Ik geloof het niet, maar dat maakt niet
uit. Het is zo.

We worden ontvangen door een man en een
vrouw, de opzichters van het huis. Ze buigen
voor Coen en spreken hem onderdanig aan.
Rugwaarts voor ons uitlopend leiden ze ons
naar het bijgebouw waar de lunch plaats zal
vinden. Het dennenbos is niet ouder dan
tien jaar en heeft iets stiekems. Ik heb eigenlijk
altijd de pest gehad aan dennenbomen. Een
lichte zucht van teleurstelling ontsnapt me als
we het gastenverblijf binnenstappen: een
soort grote blokhut, zo mogelijk nog kleiner en

stompzinniger dan het huis - even had ik nog hoop tijdens de wandeling ernaar toe dat er een paleis zou oprijzen uit het bos - met gehaakte kleedjes op de tafels en voor de ramen. Een lange tafel is gedekt voor een man of veertien.

We zijn te vroeg, de staatssecretaris, de loco-burgemeester van Boekarest en de Nederlandse handelsdelegatie zijn er nog niet. We lopen naar de steiger in het meer. Coen vertelt dat hij er zeker van is dat zijn chauffeur een Securitate-officier is. Ik leun op de houten reling en kijk over het meer uit en stel me voor hoe Nicolae en Elena op mooie zomeravonden hun rimpelige buiken hier in het water lieten zakken, voorzichtig, zoals oude mensen dat op doktersadvies doen.

'Wil je het huis zien?' vraagt Coen en hij regelt het. De huisbewaarster gaat geschrokken de sleutels halen. Sinds Ceauşescu's dood zijn er vrijwel geen mensen in geweest. Voor de woedende volkshorden lag het te ver buiten Boekarest. Nicolae was een voorzichtig man; als hij 's morgens van huis naar kantoor reed, werden er drie verschillende routes in de stad volledig afgezet. Niemand wist welke hij ging nemen, ook zijn chauffeur niet, Ceauşescu nam het besluit op het allerlaatste moment.

'Deze mensen werkten hier ongetwijfeld toen de Ceauşescu's er woonden. Er is nauwelijks iets veranderd in dit land, behalve dat die twee geëxecuteerd zijn,' fluistert Coen terwijl de dame eerbiedig de sleutel in het slot draait en de voordeur voor ons openhoudt. Als wij de marmeren gang ingestapt zijn, draait ze het slot van de voordeur achter ons dicht. Eén ding staat vast: ik verlaat dit pand niet zonder souvenir.

Het is alsof we met een makelaar door een nog bewoond huis lopen; een inkijk in de intimiteit van onbekenden. De vrouw gaat ons voor. Ze laat ons het interieur zien, zonder één woord van uitleg of commentaar. Het is duidelijk dat zij het ongepast vindt dat wij deze rondleiding wensten. De kelderdeur is veertig centimeter dik: er is een ondergrondse dinerzaal en een ondergrondse bioscoop in de vorm van een halve arena met Lodewijk XIV-stoelen en banken met gekrulde gouden pootjes. Hier keken Elena en Nicolae naar Amerikaanse soaps, die voor de rest van het volk verboden waren.

Van alles spat de nieuwigheid af. Langs de wand van de eetkamer staat een glazen kast met porselein, die in zijn geheel in de vaste collectie in het museum van *bad taste* zou kunnen worden opgenomen. De herderinnetjes en kandelaars zijn helaas te groot om bij me te steken. Opvallend is de emotionele leegte in het huis, nergens iets persoonlijks. In de studeerkamer van Elena staan enkel gebonden, wetenschappelijke boeken die, te oordelen naar de auteursnaam op de leren rug, allemaal door haar geschreven zijn.

Op de eerste verdieping zijn de slaap-kamers: Elena en Nicolae sliepen gescheiden. Over de pompeuze bedden ligt een grote, roze sprei. Voor Elena's klerenkast staan tientallen schoenen op de grond. Ik heb niet de moed om de kast te openen. Tussen de twee kamers bevindt zich een badkamer met gouden kranen. De douche is ultramodern en heeft iets van een martelwerktuig; een cilinder van koper-kleurige stangen met gaatjes waaruit het water naar alle kanten spoot.

Op de kamer van Zoe, de ongelukkige alcoholistische dochter van de Ceauşescu's, het zwarte schaap van de familie, tref ik de eerste spullen die op een eigen identiteit of een poging daartoe wijzen: platen van Mud, ABBA en de George Baker Selection. Een *Tina*-meisjeskamer. Coen loopt door naar de volgende kamer, de opzichtster schaduwt hem. Ik ben alleen! Snel loop ik naar Zoe's bureau. Daar moet iets bijzonders en zeldzaams te vinden zijn. Zoe's poëziealbum, haar Ryam-agenda, pasfoto's, een vakantiedagboek of een brief of een jachtansichtkaart van haar vader. Ik leg mijn hand omzichtig op het handvat van de bovenste la, kijk naar de poster van de mij onbekende popster op de muur en dan naar de deur naar de gang. Ik word even niet in de gaten gehouden, snel trek ik aan de la. Op slot. De onderste la geeft mee. Ik kijk erin: een stapel onbeschreven A4'tjes. In de bovenste la aan de andere kant zit een sleutel in het slot. Die neem ik in mijn hand. Op de gang hoor ik geluid. De Securitate-dame komt eraan. Met een ruk trek ik de sleutel uit het slot en klem die in mijn linkerhand. Een koperen sleutel. De koperen sleutel van Zoe Ceauşescu's bureau! Ik draai me half om, haal mijn rechterhand door mijn haar en doe alsof ik de kamer nog eens in mij opneem. Ik weet dat de Securitate-agente achter mij staat en met haar röntgenogen mijn lichaam afspeurt op onrechtmatigheden. De sleutel brandt in mijn hand. Ik draai me om, glimlach naar haar en zeg: 'Nice view, hè, with the lake?!' en knik goedkeurend naar buiten, naar het meer dat er volslagen doods bij ligt.

Even later verlaten we het huis. De dame

knikt naar ons en laat weten dat de rest van
het gezelschap is gearriveerd. Terwijl ik de
sleutel in mijn broekzak laat glijden, vertelt
Coen dat de hond van de Ceauşescu's, een
Deense dog, in de dierentuin van Boekarest zit,
waar de kinderen steentjes naar hem gooien.

De Nederlandse handelsdelegatie blijkt uit
louter opgetogen mensen te bestaan. Ze zijn
hier dan ook om iets te verkopen. Zij zijn de
aangewezen partij om de stad Boekarest te
begeleiden bij de aansluiting op de moderne
tijd. Computers. Het softwarebedrijf heeft
de burgemeester van Zoetermeer, een kleine,
vrolijke man, als mascotte meegenomen. In
zijn speech zit hij op te scheppen dat hij de
snelst groeiende gemeente van Nederland
onder zijn hoede heeft. Misschien is doordat hij
zo klein is zijn ambitie om te groeien zo groot.

Tegen de tijd dat we terug naar Boekarest
rijden, is het donker. Op de vierbaansweg
van het vliegveld naar het centrum scheppen
we bijna een onverlichte ossenkar. In de
residentie drinken we wodka. Op de piano staan
twee vakantiekiekjes van de Ceauşescu's.
Coen is de tweede dag van de revolutie in het
stadshuis van de Ceauşescu's geweest, in de
Prima Vera-wijk, waar de nomenklatoera bij
elkaar woonde. Het huis was geplunderd en
gebrandschat door het volk. Op de vloer, tussen
de verbrande papieren en de scherven, vond
hij de twee kiekjes: Nicolae en Elena in een
speedbootje op de Zwarte Zee, op de achter-
grond de patrouilleboten. Bobu en nog een van
de vaste kornuiten van Nicolae zitten ook in
de boot. Ze kijken verveeld en stom uit hun
ogen. De benepenheid slaat je in het gezicht.

'Coen, de foto's,' probeer ik.

'Weet je, toen Ceauşescu een paar dagen voor de revolutie naar Iran afreisde en er in Timisoara al onrust was, verklaarde hij op de staatstelevisie enkele minuten voor zijn vertrek dat er in Roemenië eerder bananen aan de bomen zouden groeien dan dat het bewind zou omgaan. Hij stond op de trap naar zijn vliegtuig en keek zelfverzekerd recht de camera in. Diezelfde winternacht werden in de universiteitswijk van Boekarest de bomen met bananen aan ijzerdraadjes volgehangen.'

Ik zit onderuitgezakt in een bank. Coen heeft de bedienden naar huis gestuurd. Ik moet denken aan een uitspraak die ik pas hoorde, dat de mensheid in te delen is in twee groepen: zij die op zoek zijn naar hun gelijk, en zij die op zoek zijn naar de waarheid.

In een roes van alcohol, bezoeken, bijeenkomsten, toespraken trekt de week voorbij zonder dat er zich ook maar één kans voordoet om Coen rustig te spreken. Op de avond voor mijn vertrek neemt Coen mij mee naar zijn werkkamer en zegt: 'Jij stelt de vragen, ik geef de antwoorden.' Vier wanden met boeken. Duizenden boeken. Hij schenkt twee wodka's in en duikt voor ik een vraag heb kunnen stellen in zijn bureauladen en roept een halfuur later: 'Gevonden!' en houdt een foto omhoog. 'Dit is alles wat er nog van hem over is. Deze mag je lenen. Doe er je voordeel mee, whatever, en kom ze me dan terugbrengen.'

Coen overhandigt me enkele zwart-witfoto's. Op de eerste foto die ik bekijk, staat Chuck samen met een rijzige vrouw op de vleugel van een groot propellervliegtuig. In gouden letters staat er op de foto: 'The Stork family wishes you a merry Christmas and a happy new year'.

'Hij was verbindingsofficier geworden in het gemobiliseerde Nederlandse leger ten tijde van de Eerste Wereldoorlog. Na die oorlog werd hij de eerste Harley Davidson-importeur in Nederland. Hij brak zijn studie in Delft af en heeft een tijdje voor Anthony Fokker, met wie hij bevriend was, in Istanboel gezeten. Daarna vertrok hij naar Amerika met licenties van Noury van der Lande op zak. Toen hij tien jaar later voor het eerst terugkwam naar Nederland, kwam hij per oceaanstomer met in de buik van het schip zijn eigen Cadillac. Hij had een grote, brutale, roodharige vrouw aan zijn zijde, Ginnie, zijn tweede vrouw alweer, die de peuken van haar ochtendsigaretten achteloos uitdrukte in de eierdooiers van de door mijn overgrootmoeder gebakken eieren. Met de Cadillac maakte zij de Nederlandse wegen onveilig.

De tweede en laatste maal dat hij terug-kwam naar Nederland vloog hij met zijn eigen vliegtuig de oceaan over. Gina, zo heette zijn derde vrouw. Hij had genoeg van haar. Gina was nogal klein en liep hem met haar tengere postuur voor de voeten. Ze huilde de hele tijd. Toen aan Chuck gevraagd werd of hij daar geen probleem mee had, antwoordde hij: "No, I'm perfectly happy." Dit heeft mijn moeder me allemaal verteld hoor, ik was daar zelf niet bij.'

'Kun jij je iets van hem herinneren?'

'Ja, een grote indrukwekkende man was het, ik zag hem een keer. Hij droeg prachtige pakken met brede revers, hij had heel mooie handen, dat viel me op, en lange wimpers, echte Storken-wimpers. Blauwgrijze ogen met een dwingende blik. Uiteindelijk trouwde hij met een Mexicaanse. Ze woonden vlak bij de grens met Mexico. Hij heeft toen nog eens een Stork-fabriek in Mexico geopend.'

'En de vriendschap met Howard Hughes?'

'Hughes? Nee, weet ik niet, maar hij heeft met hem samengewerkt. Net zoals hij met Anthony Fokker aan de QED heeft gewerkt. De ideale boot die Fokker wilde bouwen. Quod Erat Demonstrandum. Hetgeen bewezen moest worden. Zo heette het schip. Hij was een genie, echt een genie. Hij kon alles, hij was een briljant ingenieur. Een troubleshooter eerste klas. Hij is vijf keer getrouwd. Dan kregen we ineens van die gelukkige foto's van hem. Eerst met Christel, volgens mijn moeder de grootste hoer die er op aarde rondliep; in New York was dat. Christel was Duits, dat verklaart de aversie van mijn moeder misschien een beetje. Daarna met Ginnie, de roodharige die in de captainsroom wilde slapen toen ze naar England voeren en die zei: "My Chuck could buy the whole Dutch navy." Rond die tijd had hij zijn eigen vliegtuigwinkel op First Avenue. Nog weer later trouwde hij met Gina, een joodse, van wie hij een kind had, Kinky.'

Ergens loopt er misschien een excentrieke oude dame rond met de naam Kinky Stork?!

'Tweemaal is hij puissant rijk geweest. Enkele keren ging hij failliet. Opa, jouw over-grootvader dus, is twee keer naar Amerika gereisd om schulden af te betalen. Daar tilde de familie zwaar aan, maar Chuck was daar heel laconiek over en zei dat er staten genoeg waren, dat hij zo weer ergens anders opnieuw kon beginnen. Uiteindelijk is hij geëindigd als nacht-portier bij een motel aan de rand van Las Vegas.'

'Las Vegas?'

'Ja, daar is hij waarschijnlijk overleden: verlaten door alles en iedereen. Hij woonde in een caravan niet ver van het motel. Het moet zwaar geweest zijn die laatste jaren, hij was ziek, maar hij liet niets van zich horen. Hij wilde niet bij de familie aankloppen, daar was hij het type niet voor. In eenzaamheid is hij gecrepeerd.'

'Hoe heette dat motel?'

'Geen idee, geen idee.'

De volgende ochtend vertrek ik. De trein rijdt door Transsylvanië, op het land werken honderden mensen met ossen en hakken. Op de stationnetjes zijn geen perrons. Grote, in vodden gehulde mannen die naar drank stinken, zakken neer op de houten bank naast mij. Alleen stompjes van tanden hebben ze in hun mond. Hun petjes zijn zwart van de aarde en het roet. Ze lijken mij niet op te merken. De trein stopt bij ieder gehucht - om de post uit te delen? Op deze manier duurt het honderd jaar voordat we in Boedapest zijn. Ineens is de trein weer leeg. Enkele stations verder stappen tientallen meisjes in. Ze zijn dertien, veertien jaar oud en verdringen zich om bij mij in de coupé te zitten. Ze gluren naar me en giechelen aan één stuk. Een enkele durft mij onbeschaamd aan te kijken en in gebroken Engels te vragen waar ik vandaan kom. Vlak voor de grens met Hongarije stappen ze uit. De trein blijft staan.

Een ongemakkelijk gevoel neemt bezit van me, ik kijk om me heen. Geen hond te zien. De motoren van de locomotief zijn afgeslagen, waardoor het ineens angstaanjagend stil is. Ik ben de enig overgebleven passagier, de trein blijft hier tot volgende week staan. Ik steek mijn hoofd uit het raam. De zon brandt onbarmhartig fel op mijn kop. Blauwe kringeltjes stijgen op van de rails, alsof die verdampen. Ik pak mijn spullen bij elkaar om een spoorwegbeambte op te gaan zoeken. Mijn schoudertas, de veldfles, mijn jas, de zwarte map. De zwarte map?

Hij is weg! De zwarte map met de foto's en aantekeningen over Chuck. In het bagagerek? Onder de bank gegleden? Al in mijn tas gestopt? Onder mijn jas? Nergens! Gestolen! Ik ren naar de deur. Ik kijk uit het raam: de meisjes zijn niet te zien. Ik kruip op mijn knieën door de coupé. Ik graai nog eens en nog eens door mijn schoudertas. Rits de twee zijvakken beurtelings open. Niets! Helemaal niets!

Ik begin te zweten als een otter. Het kan niet waar zijn. Heb ik de map bij Coen achtergelaten? Nee, ik heb hem in de trein nog in mijn handen gehad, de foto's bekeken. Wanneer voor het laatst? Voordat die stomme wijven instapten. Het kan niet waar zijn, jezus. Gestolen?! Dachten ze dat er het geld inzat?! Ik moet de trein uit, het dorp afzoeken totdat ik die wichten en de map heb. Systematisering!

Met een schok zet de trein zich weer in beweging. Moet ik eruit springen? Passief, murw, zit ik op de bank genageld en laat het me overkomen terwijl het zweet in straaltjes onder mijn armen vandaan loopt. Ik besef dat, als ik nu niet snel aan de noodrem trek of uit de rijdende trein spring, er mij twee dingen resten: 1. Naar Las Vegas reizen; 2. De zes foto's nu een voor een minutieus beschrijven, voor ik ze vergeten ben. Te beginnen met de polaroid met de tekst in het houterige hand-

schrift van de halve analfabeet achterop - een
handschrift dat mij meer ontroerde dan wat
dan ook: 'Juan calls this picture his Hollywood
Mama'. Misschien bevalt het Chuck zo wel;
de sporen definitief uitgewist. Niet dat kramp-
achtige vasthouden aan wat je hebt. Alles
wat ik aan deze pelgrimage overhoud, is de
herinnering en de sleutel van het bureau van
de dictatorsdochter Zoe. Alleen de idee van de
Roemeense filosoof Emile Cioran houdt me
nog een beetje op de been; succes is ook een
vorm van falen. Volgens die man was niet
geboren worden de beste oplossing - maar hij
was dan ook zelf verstoten uit de moederschoot
en leefde als balling in Parijs.

De trein begeeft zich langzaam maar on-
ontkoombaar in de richting van de Hongaarse
grens. Op het perron van een klein stationnetje
staat een stationschef in blauw uniform statig
met een rood-wit-groen vlaggetje in zijn hand
naar de trein te zwaaien, als een robot. Ik
zwaai terug, vanbinnen kokend. Vijfduizend
tevergeefse kilometers.

Dracula was een vrouw

Op zoek naar de bloedgravin 1

In 1990 werd ik verschrikkelijk verliefd en raakte daardoor in Boedapest verzeild. Iedere ochtend werkte ik in een vervallen koffiehuis aan de Andrássy út aan mijn eerste roman. In aanleg had het koffiehuis dezelfde stijl als het populaire Gerbeaud, alleen was er nogal wat achterstallig onderhoud. Uit het Jugendstil-plafond waren rechthoeken gebikt om tl-bakken in te hangen. Het was er opvallend rustig. Tegen enen, als de *lunchtime lovers* binnenstroomden en zwijgend sigaretten rookten of elkaar begonnen te betasten, stapte ik op en zwierf de rest van de dag door de straten van Pest.

Op een van die zwerftochten, langs koffie-huizen, boekwinkels, rommelmarkten en antiquairs, las ik enkele regels over de bloed-gravin, Erzsébet Báthory (1560-1614), serie-moordenares avant-la-lettre. In de beslotenheid van haar kastelen zou deze gravin tussen de drie- en zeshonderd jonge vrouwen hebben vermoord omdat zij ervan overtuigd was dat maagdenbloed de geest jong en de huid soepel hield.

Mijn nieuwsgierigheid werd gewekt. Ik ging op zoek naar sporen van haar. In een antiquariaat vond ik: *A rossz hiru Báthoryak* (De beruchte Báthory's). Het omslag pronkt met de rotte appel van de familie. Zij doet de Turken moordende ooms (van wie een het tot koning van Polen schopte) en konkelende neefjes vergeten. Zij kijkt loom maar verleidelijk uit haar ogen. Om haar nek draagt zij een elegante, kanten variant

van de anti-bijtkraag die bij honden wordt
gebruikt. Het Hongaars in het boek is voor mij
niet te doorgronden maar de schaarse plaatjes
stellen niet teleur: naakte, tegenstribbelende
meisjes die naar een verveeld op haar troon
onderuitgezakte dame worden gesleept.

In Boedapest hadden redelijk wat mensen
weleens van de bloedgravin gehoord, maar
eigenlijk konden ze me niets vertellen, zelfs
enkele historici die ik tegenkwam niet. Men
glimlachte me meewarig toe. Langzaam kreeg
ik het gevoel dat ik mezelf als volwaardig te
beschouwen mens diskwalificeerde. Ik was te
vergelijken met een Hongaar die op feestjes
in Amsterdam steeds bloedserieus over Hansje
Brinkers begint. Kunnen we die jongen niet
even in de bezemkast opsluiten? Zsazsa, mijn
Hongaarse geliefde, begon het ook de keel
uit te hangen. Helemaal nadat ik op een zomer-
avond bij een oude dame in de tuin op een
van de hellingen van Boeda er weer over begon.

De dame, ver achter in de tachtig, is een
krachtig mens. Ze was van jongs af een groot
paardenliefhebster geweest. Toen de commu-
nisten de macht overnamen, waren behalve haar
landgoederen ook haar zesentwintig paarden
geconfisqueerd. Ze had gesmeekt of ze als stal-
knecht mocht blijven en de paarden verzorgen.
Dat mocht, maar het werd niet getolereerd dat zij
de paarden aanraakte, borstelde of voerde. Ze
moest stront scheppen en aanzien hoe de paarden
vermagerden en naar god werden geholpen.

Als ik deze dame onder de appelboom vraag
of ze weleens van Erzsébet Báthory heeft
gehoord, veert zij op. Met heldere blik kijkt ze
mij aan en lacht geheimzinnig. Zsazsa staat
na mijn vraag op om binnen iets te gaan doen.

Voor de oorlog was de vrouw veel in een van de in het westen van Hongarije gelegen Nádasdy-kastély geweest. In dat kasteel werd op de eerste verdieping achter een glazen wand de bibliotheek van Erzsébet Báthory bewaard. De bloedgravin, die uit het oosten van het oude Hongarije kwam, was met een Nádasdy getrouwd geweest, net als een van de zwagers van de oude dame.

In de hal van het kasteel, onder de glazen wand, stond een reusachtige tafel met daar omheen een cirkel stoelen. In het leer van een van de stoelen zat een grote, dieprode bloedvlek. Het was de stoel waarin een Nádasdy-voorvader was onthoofd. In deze sfeervolle omgeving was de vrouw samen met haar zwager en enkele andere gasten geesten gaan oproepen - handen op tafel, ogen gesloten. Toen ze Erzsébet Báthory's geest opriepen, vloog de leider van de séance ineens met loodzware stoel en al door de hal en denderde met een knal tegen de stenen vloer. Hij overleefde de lancering - maar besloten werd tante Erzsébet voorlopig even met rust te laten.

De dame vertelt dat haar zwager, op dat moment handarbeider in een fabriek, in de jaren zeventig onderzoek heeft gedaan naar de geschiedenis van de bloedgravin en een artikel over haar heeft geschreven waarin hij aantoonde dat het maagdenbloedverhaal op laster was gebaseerd. Zijn betoog werd al ontkracht door het feit dat hijzelf tot die verdachte kaste der aristocraten behoorde, maar nog meer doordat hij met een Nádasdy getrouwd was; hij probeerde niets anders dan zijn eigen stand en familie van schanddaden te reinigen. Het artikel verdween onopgemerkt.

Dezelfde week trek ik verder het land in. In Nyirbátor, in het oosten van Hongarije, fietst de plaatselijke bevolking met geheven hoofd midden op de weg, zo trots is men nog altijd op de Báthory's, vorsten van Transsylvanië. Denk ik. Pas na een tijdje krijg ik door dat sommige Nyirbátorse mannen om elf uur zaterdagochtend al zo lam zijn dat ze alleen door zich op de middenstreep te focussen lijn kunnen houden. Hier, dicht tegen de grens met Roemenië, staat het Báthory-museum. Reisgids en folders stellen het geslacht Báthory (*bátor* = dapper) voor als één grote machtige clan van moedige krijgers en nobele prinsen.

In het onverwarmde museum zijn drie harnassen te zien, een paar schilderijen, boeren-kielen en wat houten landbouwwerktuigen. De conservatrice, die zich om het elektrische kacheltje in de holle gang heeft gekruld, doet eerst alsof ze nooit van Erzsébet heeft gehoord, maar geeft uiteindelijk toe dat er in de kelder van het museum een schilderij van haar is. Dat krijg ik echter onder geen beding te zien. Alsof de exorcist anders los zal komen. Op het marktplein, bij de begraafplaats, in het café; overal houdt men zich van de domme zodra ik over Erzsébet Báthory begin. Driehonderd-eenentachtig jaar na haar dood is zij voor de Hongaarse bevolking van Nyirbátor nog immer taboe. In het moerassige gebied rond Nyirbátor zoek ik drie dagen naar het Báthory-familieslot of wat daar nog van over is. Maar vind niets.

Terug in Boedapest kom ik drie dingen te weten: 1. Er is nóg een boek waarin Erzsébet Báthory een voorname rol speelt, met de enthousiasmerende titel: *Dracula was a woman*.

Niet Vlad Tepes maar Erzsébet Báthory heeft model gestaan voor graaf Dracula. Zoals wel vaker strijkt een man met de eer terwijl een vrouw het vuile werk heeft opgeknapt; 2. Het kasteel waar de bloedgravin haar wreedheden beging, ligt niet in Oost-Hongarije of Transsylvanië maar in Čachtice, bij Nitra in Slowakije; 3. Er draait een film over haar met Paloma Picasso in de hoofdrol.

De bioscoop is van het ranzige soort. De bekleding van de stoelen hangt op de grond. Kerels kijken betrapt wanneer wij binnenkomen. Niet echt een plek om je meisje mee naar toe te nemen. De film bestaat uit verschillende delen, waartussen niet veel verband te ontdekken valt, behalve dat de acteurs en actrices zich telkens onaangekondigd maar vaardig van hun kleren ontdoen. De derde episode van de film gaat over de bloedgravin. Te paard stropen haar huurlingen de dorpen en boerderijen af, en jagen vrouwen bij elkaar. Op haar dooie akkertje volgt de gravin en kiest uit de bijeengedreven vrouwen de jongste en de mooiste. Dezen worden meegenomen naar het kasteel, waar zij zich op een binnenplaats moeten uitkleden en baden. Tenen, knieholtes, oksels, achter de oren, alles grondig borstelen. Pas daarna worden ze bij Erzsébet gebracht. Ze is mooi, met een perzikhuid en heel zwarte haren. Met grote ogen bekijkt ze de schone, in een betegelde ruimte ronddrentelende vrouwen. Zij stapt tussen de naakte meisjes, streelt sommigen en geeft met een slap handje terloops aan wie opengesneden moet worden. Het bloed wordt opgevangen in een in de vloer verzonken bad.

Čachtice, 3 kilometer van Nove Mesto, 20 kilometer ten zuiden van Trenčin, richting Bratislava. De wegen zijn slecht, de steden liggen bleek en futloos als verveelde pubers tussen de heuvels. Brede dalen, licht glooiende vlaktes en in de verte grijsblauwe bergen. Veel bos. Čachtice is nietig en modderig. Het zou mij niet verbazen als hier de afgelopen vierhonderd jaar niets veranderd is. Er is een café waar de mannen, net als in Nyirbátor, om elf uur 's morgens al volkomen laveloos zijn. Ze lopen in vodden en drinken bier uit tweeliterpullen. Bij de wc grote, gele plassen waar je doorheen moet waden om in het koffiehuis te komen. Behalve een gammele bus bij de halte zijn er geen auto's. De straten zijn leeg. Er is één kruidenier die een ansicht-kaart van Čachtice te koop heeft. Men is niet trots op Erzsébet Báthory, ook schaamt men zich niet voor haar - men kijkt zwijgend voor zich uit.

Het kasteel kent men wel. Het is volgens de aanwijzingen van de zuur ruikende mannen een eindje buiten Čachtice. Over een zandpad door een groot bos ga ik erheen. Ik weet niet wat ik zal aantreffen. Na een halfuur kom ik bij een open plek; daar ligt op een rots het kasteel. Het is vervallen, maar onmis-kenbaar hetzelfde als dat in *A rossz hiru Báthoryak* is afgebeeld. Er is geen kiosk, geen kaartverkoop, geen bordje. Niks. Het ligt verlaten op de hoogvlakte, de wind blaast eromheen.

Hier werden de jonge vrouwen uit de graafschap naar toe gebracht, over deze weg, door deze poort. Ik klim over grote stenen. In de verte in het dal liggen een paar huisjes. Hoewel het een ruïne is, voel je je machtig op dit hoge punt, een heerser. Het kan niet anders of de menselijke ziel is een slaaf van de architectuur. Dat een weduwe wonend in een dergelijk slot aan het experimenteren slaat, verbaast me niet.

Toen in 1611 een verloofde van een van de vermoorde meisjes aangifte deed, greep de overheid in. De hulpjes van Erzsébet Báthory kregen de doodstraf. Vanwege haar adeldom - noblesse oblige - bleef de bloedgravin eenzelfde lot bespaard: levenslange opsluiting was haar deel. Vier jaar na haar veroordeling stierf zij, krankzinnig geworden, in de ondergrondse kerker van het kasteel.

Een valkje bidt boven het gras dat de binnenplaats overwoekert. Eigenlijk weet ik nog steeds weinig met zekerheid over deze vrouw, maar het maakt stil, hier te zitten op deze vergeten plek. In het puin is een zwart gat: de kelder waar zij en haar slachtoffers zaten. Ik steek mijn nek in de opening, licht valt op een pluk mos, verder is het stikdonker, niets te zien. Ik gooi een steentje naar beneden en wacht tot het de bodem raakt.

J. D. SALINGER
author of
THE CATCHER IN THE RYE

Mr. Salinger has the right to be left alone

Het jachtseizoen is geopend in Cornish, New
Hampshire. Dat wil zeggen, de hertenjacht.
De elandenjacht ('It is unlawful to use aircraft
to locate moose') is alweer voorbij. Beren,
wilde zwijnen, stinkdieren en coyotes mogen
niet geschoten worden. Het New Hampshire
Fish and Game Department raadt de jagers
aan tijdens de jacht een felrode jachtpet te
dragen. Dat is geen ode aan Holden Caulfield
en daarmee de beroemdste inwoner van de
streek, maar een veiligheidsmaatregel; vorige
herfst nog schoot een vader per ongeluk zijn
goed gecamoufleerde zoon dood.

Het zijn de nadagen van de Indian Summer
en in de grootste huurauto die te krijgen was
- een Mercury Grand Marquis LS met paarse
bekleding en paarse gordels - jaag ik noordwaarts. Op de achterbank ligt een fles Chivas
Regal in cadeauverpakking en in mijn hoofd
heb ik een briefje dat straks bij J.D. Salinger
in de brievenbus gegooid gaat worden. Van
het rijtje door mij meest bewonderde schrijvers
is hij de enige die nog leeft en omdat hij
alsmaar ouder wordt en ik niet zo vaak in
Amerika kom, moet er nu toegeslagen worden.
Cruise-controlled overschrijdt de paarse hoeren-
sloep alle snelheidslimieten terwijl ik fantaseer
hoe het mij lukt, na veertig hermetische jaren,
de oester te openen.

*Dear J.D. Salinger, I came all the way from
the Netherlands to invite you for a drink. It*

would be a great honour if you would accept
this invitation. Awaiting your reaction I'm
staying the rest of the day (and if necessarily:
the rest of the week) in the purple pimplike car
parked opposite your house. A three word note
is enough to make me disappear instantly -
and of greater value to me than a six pages,
handwritten letter by Count Leo Tolstoy.

Ik sla de Interstate 91 af, naar Claremont, dan
richting Lebanon en Hanover, over de brug
naar rechts, door de dennenwouden en de
heuvels naar Cornish Flat. In 1952 ontdekte
Salinger het plaatsje en kocht een hut om
zich af en toe uit New York te kunnen terug-
trekken. Een hut in het bos zonder gas, water
of elektriciteit; de romantische droom van
de grotestadsjongen. In 1953 ging hij er
permanent wonen.

Op een open plek in het bos is de Cornish
Townhall, voor de ramen hangen grijs
geworden vitrages en spinnenwebben. Er is
niks of niemand binnen, het oogt alsof er
duiven en geiten leven. Het is een als townhall
vermomde stal. Schuin tegenover de townhall
is het Cornish Fire Department, dat blijkens
een spandoek vijftig jaar bestaat. Voor deze
wit geverfde barak staat een blauw-witte
politie-Ford, verder is er zover het oog reikt
niets te bekennen dat op leven wijst.

Onder een vierkante tl-bak zit een man
met een zwarte hoed op. Ik vraag hem waar
Salinger woont. Dat kan hij me niet zeggen.
Hoezo niet? 'Mr. Salinger has asked not to
tell anybody his adress. It's not public. Nobody
will tell you.' Ik zeg dat ik dan maar op goed
geluk zal moeten rondrijden en vraag hem of

ik hier warm ben. 'No,' zegt hij met een grijns.

Voor Power's Country Store staan afgeragde pick-up trucks als groot uitgevallen paarden met hun neus tegen de houten balustrade geparkeerd. Binnen zijn jachtjassen, bergschoenen, munitie, spijkers per kilo en ook nog wat levensmiddelen te koop. Dit is tevens het Deer Registration Station voor Cornish en omgeving. Achter de balie, tussen groene handschoenen en oranje petten, staan een jongen en een vrouw die er niet bijster slim uitzien. Mijn kans. Ik vraag terloops waar J.D. Salinger woont en voeg eraan toe dat ik over een halfuur bij hem verwacht word. Ze vragen of ik zijn adres heb. Nee. Nou, als je over een halfuur bij hem verwacht wordt, zou je zijn adres wel hebben. Bijdehandjes. 'We can't tell you.' Salinger heeft de wind er goed onder bij de dorpelingen.

Met de onrust van een hond die het spoor kwijt is, rijd ik kriskras over de hoogvlakte, steeds weer hoopvol opkijkend naar de bestuurder van iedere tegemoetkomende pick-up truck. De laatst gemaakte foto's van Salinger tonen hem naast een dergelijke auto, voor de winkels waar ik net was. Wanneer ik voor de derde maal de zandvlakte tussen de houten kerk en Power's Country Store oversteek, zie ik een oud vrouwtje lopen. Stevige, witte haren kronkelen als gesprongen snaren uit haar kin. Ze weet niet van de *omertà* en vertelt zonder omhaal dat Salinger aan de andere kant van het dorp woont, bij Saint Gaudens ergens, daar moet ik maar verder vragen.

Vijf mijl verder ligt verlaten langs de weg een winkeltje: THE 12% SOLUTION. OPEN 7 DAYS. Ik koop een beker koffie en de plaatselijke

krant en post, leunend tegen de Mercury Grand
Marquis, op de uit de rotsen gehakte inham
die dienst doet als parkeerplaats. Een van de
plaatselijke alcoholisten zal deze fuik in-
zwemmen en doorslaan.

Het is inmiddels koud en donker. Af en toe
stopt er een pick-up, waarvan men de lichten
laat branden terwijl binnen een sixpack wordt
gekocht. Maar niemand wil zeggen waar J.D.
Salinger woont. Het is duidelijk dat het niet
ver van hier is. Een grote man met een baard
en een baseballpet die eruitziet als een sloper,
zegt wanneer hij de autodeur dichttrekt,
waarschijnlijk om mij te sarren; 'I live about
half a mile away from him.'

Ten slotte, nadat ik drie kwartier als een
om een gulden bedelende junk heen en weer
gedrenteld heb, is er een manke man die me
precies uitlegt hoe ik er moet komen. Richting
Windsor, rivier volgen, aan je rechterhand
vijvers met een molen, bij de oude begraafplaats
(Chase Cemetry) rechtsaf, na een mijl over
een metalen brug, daar aan de rechterkant ligt
het huis van Salinger. Ik volg de koplampen:
zwart water, een begraafplaats waar de stenen
als rotte tanden schots en scheef uit het zand
steken, een kronkelende weg omhoog de
bossen in, een stalen brug en rechts, tussen
de bomen: licht.

Ik stap uit. Een pad van grijs gruis leidt
omhoog naar het huis tussen de bomen. In
het licht van de koplampen zie ik een bord
PRIVATE ROAD, KEEP OUT en even verderop
nog een bordje PRIVATE ROAD, NO TRESPASSING.
Staande op Salingers oprijlaan, vijftig meter
van het reisdoel verwijderd, na vierhonderd-
vijftig kilometer rijden en zes uur zoeken, heb ik

ineens geen zin meer. De dorpelingen hebben gelijk: This man has the right to be left alone. Wat kom ik hier eigenlijk doen?

Ik stap in, zet de auto in de achteruit, draai terug, sla een zijweg in, rijd de heuvel op en parkeer de pimpmobile op gelijke hoogte met het huis. Hemelsbreed tweehonderd meter tussen mij en Salinger. Ik doof de lichten en doe de deuren op slot. Uit het huis valt geel licht, het ziet er gezellig uit. In de verte liggen de bergen van Vermont. De zon gaat definitief onder en de maan stijgt op. Ik luister naar de autoradio en wacht tot ik J.D. Salinger voor het raam langs zal zien lopen.

Drie brieven uit Hongarije

Tussen Keszthely en Esztergom, zaterdagnacht,
31 mei 1997

Lieve Hendrickje,

Het is één uur in de nacht en ik zit met een
glas whisky in de restauratiewagon van de
Imperial Explorer. Het eerste galadiner zit erop
en er is nog maar één passagier achtergebleven
in de wagon en dat ben ik. Verder is er alleen
personeel dat zich grappen makend laat vollopen. Een uitstapje met hoog Fawlty Towers-
gehalte. De passagiers en het leidinggevende
personeel zijn Engels, de mannen van de vloer
Hongaars. Ze doen alsof er geen taalbarrière
bestaat. De steward, die verantwoordelijk is
voor de restauratiewagon, er onberispelijk
uitziet en hem ondertussen goed raakt, gaat
door voor een talenwonder. 'Kippenkop' kan
hij zeggen, wat hij zo vaak herhaalt dat ik zin
krijg hem naar het nauwe keukentje te sleuren
en zijn onberispelijke hoofd in een pan soep
te dompelen. Attila, zijn Hongaarse assistent,
dekt de tafels voor morgenochtend. De borden
zijn van een bomvrij blanco servies, de kopjes
en schoteltjes van Herend - het beroemde
handbeschilderde Hongaarse porselein
waar tsaar Alexander II, de sjah van Perzië en
keizer Wilhelm I thuis van peuzelden en
waarmee Charles en Diana elkaar bekogelden.
Aanvankelijk werd het volledige Herend-servies
in de trein gebruikt, maar het management
heeft in een helder moment de in witte jasjes

geperste beren van de bediening geïnstrueerd
de schalen, soepterrines en borden in de
keukenkastjes te laten. Attila waggelt met een
dienblad afgeladen vol Herend-kopjes en
schoteltjes - ik schat dat je voor wat hij daar
met één hand boven zijn hoofd houdt een
aardige vierdeurs middenklasser kan kopen -
door het gangpad van de slingerende trein en
lacht me verontschuldigend toe.

Ik zit en ik drink. We rijden over de goedkoopste, enig beschikbare stukken rails door
Hongarije. Vanmiddag heb ik bij Keszthely in
een autobinnenband tussen de ouden van
dagen gedreven in het warme water van de
vulkanische bronnen. Daarna bekeken we
het Festetics-kastély waar kortgeleden een
schandaaltje was: de beheerder verhuurde
onderhands een deel van het gebouw aan een
Duits productiebedrijf om een pornofilm te
maken - op zich al ironisch als je bedenkt waar
de Festetics-familie voor stond (onderwijs
stimuleren, bibliotheken aanleggen; de bevolking mogelijkheid tot ontwikkeling bieden).
In de opwinding was de beheerder vergeten het
kasteel te sluiten; busladingen schoolkinderen
en reumatische bejaarden stroomden tijdens
de opnamen binnen.

Ik ben aan boord van de prachtige trein die
werd gebouwd voor kanselier Horthy en later
door partijbonzen werd gebruikt om zich in het
diepste geheim te verplaatsen. De militaire
top en het Hongaarse voetbalteam, inclusief
het kampioensteam van de verloren finale
van '54 met Ferenc Puskas, maakten veelvuldig
gebruik van de trein, tot '56. (Tijdens de
Hongaarse opstand en de daaropvolgende
Russische inval zat het kampioensteam in

Melbourne. Geen van hen is teruggegaan.) De geschreven historie van de trein wordt niet vrijgegeven. Er is de afgelopen vijftig jaar te veel gebeurd wat maar liever niet benadrukt moet worden. Zeker is dat president Nixon met de trein is vervoerd en Madonna (de film *Evita* is in Hongarije opgenomen), en voor de Paus deed hij dienst als stand-by voertuig.

Ik verkeer in een plezierige roes van drank, een tekort aan slaap en nu ongeveer vijftien uur dwalen op deze trein, als een zeilschip zo fraai: teakhouten betimmering, koperen handvatten, Jugendstil-lampjes. Van een kenner begreep ik dat de wagon (alleen in het spoorwegmuseum in Utrecht staat een vergelijkbare restauratiewagen) in 1912 door Ringhofer gebouwd is voor het traject Parijs-Istanboel. Parijs-Istanboel! 1912, stel je voor. Over een eigen trein beschikken, dat is een wens die vandaag bezit van mij heeft genomen. Leuk voor de jongens. De koningin van Groot-Brittannië schijnt de hare van de hand te willen doen.

Het gezelschap van Engelsen, die in smoking aantreden om de doodgekookte aardappelen en worteltjes naar binnen te werken, is heel prettig. De kok heeft SCOTLAND FOREVER op zijn armen getatoeëerd en het eten is in de fijnzinnige culinaire traditie van 's mans geboortegrond. Zit je nog op dat eekhoorntjesdieet? Welke moest je nou eten: de bruine of de grijze? (Mij lijken de bruine het lekkerst; ik vermoed de smaak van hazelnootpasta.)

Heb jij de verfilming van *The English Patient* gezien? Er ontstaan overal freak-groepjes die de ware geschiedenis van de Hongaarse graaf László Almásy proberen te achterhalen, naar wiens leven de film gemodelleerd is.

Gisteravond had ik in de Piaff-bar, voorheen dé
bar van Boedapest, nu vooral nog het trefpunt
voor zware drinkers, gevallen vrouwen en
derderangs actrices, afgesproken met Dénes
Ghyczy. Dénes is een Nederlandse schilder
van Hongaarse origine die zijn atelier in
Boedapest heeft. Hij had een vriend bij zich,
wiens naam ik door de luide muziek niet
verstond. Een stille jongen van een jaar of dertig.

Eerst spraken we over de vrouwen in
Boedapest, die de neiging hebben ordinair
voor de dag te komen. Dénes zei dat ze wat
rechtstreekser hun lichaam in de strijd werpen,
maar dat je je niet moet vergissen. Oppervlakkig
gezien lijkt het wel of de mannen de dienst
uitmaken. Niets is minder waar, de Hongaarse
vrouwen hebben de maatschappij volledig in
handen en regelen alles. Op een gegeven
moment hebben ze gedacht: die mannen
presteren al driehonderd jaar niks meer, we
nemen het over.

Pas toen we over familie en zwarte schapen
spraken, deed de zwijgzame vriend zijn mond
open en vertelde over zijn oudoom. Hij moest
schreeuwen om boven de muziek uit te komen.
Hij vertelde dat zijn oudoom, László Almásy,
van de tak van de familie was die geen
gravelijke titel bezat. Na de Eerste Wereldoorlog bestuurde hij de auto van koning Karl II
von Habsburg, die de dubbelmonarchie trachtte
te herstellen. Op toernee door Hongarije zei
de koning tegen iedereen die het horen wilde
dat zijn chauffeur graaf Almásy was en die
titel hield László erin. De koning had het gezegd.
Hiermee had László zich gedegradeerd in de
ogen van het deel van de familie dat die titel
werkelijk bezat. Toen hij daarna ook nog voor de

Duitsers ging spioneren, lag hij er definitief uit. Het is een universeel verschijnsel dat families hun obscure leden in de kast verstoppen. Oom László was doodgezwegen tot *The English Patient* verscheen.

'He is a real count Almásy,' zei een van de omstanders en prikte zijn wijsvinger in de richting van de jongen die tegenover me stond. Ik was misschien drie uur in Hongarije. Dat vind ik het mooie, het land heeft een baron van Münchhausen-achtige magie, rijkheid en rauwheid. Ze hebben een echte ouwehoer-cultuur (Boedapest is niet voor niets zo rijk aan koffiehuizen). Die paar keer dat ik met Zsazsa door Hongarije heb rondgetoerd in de Peugeot 304 cabriolet en we in een dorpje halt hielden om een oud vrouwtje de weg te vragen, ging dat niet zonder tien minuten gezellig leuteren: 'Goh, is dat je man? Leuke man, jong nog, hè?! Hebben jullie kinderen?' et cetera.

Het is niet allemaal zo duidelijk geregeld, dat is ook een verademing. In Boedapest werden we vanochtend met een busje naar het station gebracht, de chauffeur stuurde via een achterommetje de bus het perron op en reed ons tussen de mensen tot vlak voor de trein, half over terrassen waar koffie gedronken werd. We werden bij de koninklijke wachtkamer afgezet, gebouwd voor Ferenc József von Habsburg. Er was een apart zijkamertje met driehonderd spiegels waar Sissy zich placht te verkleden. We kregen Hongaarse champagne en dat bleven we rest van de dag drinken.

De trein met stoomlocomotief stond klaar, te werken, te stomen en te stampen als een paard dat wil draven. Wat een kracht! We stapten in. Ik hing uit het raampje. De locomotief blies stoom af, rillingen liepen over mijn rug, dít was reizen, superieur reizen, ik voelde mij Cravan zoals ik mij nog nooit Cravan had gevoeld.* Koffers werden door blauwe mannen naar binnen gezeuld, van het perron keek men naar ons op, langs de rails stonden mensen te zwaaien, daar gingen we, in een wolk van stoom.

Welterusten, Jaap

Tussen Helvécia en Bélapátfalva, zondagochtend 1 juni, 2.00 uur.

Beste Oscar,

Ik heb net een viool van een zigeuner gekocht voor Zeeger, die al geruime tijd te kennen geeft viool te willen spelen. Ook heb ik een stukje paardgereden in het halfdonker - er werd een vrijwilliger gevraagd. We waren met de trein naar de *puszta* gereden om een paardenshow te zien, je gezonde verstand zegt dan *tourist-trap*! En dat was het natuurlijk ook wel, wat niet wegneemt dat het waanzinnig is wat die jongens op die paarden doen. Ze rijden in de eerste plaats zonder zadel en zonder stijgbeugels, wat ik sowieso al heel stoer vind - jij hebt vast een opvoeding gehad waarbij paard-

---

*Niet zo verwonderlijk in een wagon uit 1912, het jaar dat Cravan begon te publiceren:

Werd de razende vaart mijn wiegend matras.
Mijn denken werd blond, het koren stond stralend te wuiven,
De koeien graasden in het schooiergroen der weiden,
Ik was dolblij bokser te zijn en groette lachend het gras.

rijden even vanzelfsprekend was als fietsen, dus weet je dat rijden zonder stijgbeugels hondsmoeilijk is - hun laarzen vooruitgestoken alsof ze op een *Easyrider*-motor reden.

De Engelsen met wie ik op stap ben, konden het niet laten onmiddellijk geld in te zetten. Die horen een paard hinniken en trekken hun portemonnee. Een van de roekeloze Hongaarse gekken ging met één voet op een paard staan en met zijn andere voet op een tweede paard en dan mende hij ook nog eens de drie paarden die voor hem uit galoppeerden. Dat was een beetje over the top. Na deze duivelskunstenarij vroegen ze een vrijwilliger. Nou, al die ouwe vellen slaakten alleen maar gilletjes, dus op een gegeven moment stond ik op, niet omdat ik het nu zo op paarden heb of omdat ik zo graag de blitz wilde maken, maar gewoon omdat ik het lullig vond dat niemand gehoor gaf aan de oproep. Ik liep naar de *csikós* toe en zag dat ze een paard aan het zadelen waren, wat me eigenlijk teleurstelde. Ik had me namelijk al geschikt in mijn heldenrol, ook al zou het tragisch aflopen. Ik had twee *barackspálinka* ad fundum naar binnen geslagen en de zigeuners op leeftijd die 'Szép a roszám nincs hibája' speelden deden mijn hart open-springen. Ik was klaar om te sterven.

Jij mag dan mondain zijn met je studio's en pied-à-terres in Brussel, Parijs, Amsterdam en Londen, ik zit toch mooi in Hongarije op de puszta. In een trein om precies te zijn. We rijden een station binnen, ze hebben heel lage perrons hier; een stoep, net té hoog om goed te kunnen stoepranden. Ik zit in mijn eentje aan de communistische vergadertafel, de trein remt en bonkt als een servieskast over de lasnaden

tussen de rails. We worden op een zijspoor
gerangeerd om een zware, onverlichte, louche
goederentrein geladen met goud of plutonium
naar weet ik waar te laten passeren.

Het spijt mij niet zo puissant rijk te zijn dat
ik impulsief zo'n trein kan kopen. Helemaal
deze, met die lekkere stoelen. Het is prettig
om enkele dagen in zo'n ding te leven. Een
speciaal gevoel neemt bezit van je, alsof je in
een vacuüm zit. In een cocon. Los van de
wereld. Een eigen entiteit. Precies dát wat je
als schrijver zoekt.

Er zijn drie van dit soort ruimten in de
trein met gradaties in luxe en decadentie.
Ze herbergen allemaal een lange vergadertafel
met veertien stoelen. De eerste, de meest
eenvoudige, was voor de veiligheidsstaf. De
volgende heeft een Romeinse bank, een sofa
noem je zoiets geloof ik, aan het hoofdeinde
van de tafel, waar ik nu op zit en vanmiddag
als een verwende courtisane op heb gelegen
terwijl we Boedapest binnenreden. Het regende.
Aan de rand van de stad lagen op groezelige
industrieterreinen hoge bergen brandhout en
kolen en wrakken van wagons. Is het je
weleens opgevallen dat er in minder welvarende
landen altijd mensen langs het spoor lopen?

Het meest in het oog springende verschil
tussen nu en zes jaar geleden zijn de vele
plekken in Boedapest waar je je kunt laten
tatoeëren en piercen. In de metro en op het
wit van de zebrapaden staat het geadverteerd.
BLACK SKULL TATTOO. Verder valt de Winnie
de Pooh-rage op: boeken, en verder alles waar
Winnie de Pooh op afgebeeld staat, vliegen
de winkels uit. Het is bemoedigend dat de
verwestersing niet alleen in zijn meest

voorspelbare vorm door Centraal-Europa waart. De onvermijdelijke McDonald's en andere Amerikaanse hamburgketens zijn er natuurlijk in overvloed, drieënzestig alleen in Boedapest. Verder is het even mooi en opwindend gebleven. Het land is van een achteloze schoonheid. Het is niet zoals bij de Niagara Falls, waarbij iedereen weet dat het prachtig is en je 'oeh' en 'aah' roept, maar het heeft een alomtegenwoordige, vanzelfsprekende schoonheid. Er zijn nauwelijks hekken: eerst zie je dat niet; je merkt het niet op. Je denkt wel, hé, wat is er aan de hand. Je krijgt een sterk gevoel van vrijheid en dan ineens zie je het.

De stoelen zijn met velours bekleed. De tafel is van gelakt hardhout, hetzelfde dat voor de manshoge lambrisering is gebruikt. Deze wagon was voor de ministers en de generale staf vermoed ik. Er is een radio die louter bombastische muziek uitzendt en achter een in de lambrisering weggewerkt luik staat een zender om tankdivisies te dirigeren en manschappen te bevelen zich in het vijandelijk vuur te storten.

Dan de presidentiële vergaderzaal: de stoelen zijn van leer en de lambrisering loopt tot aan het plafond. Ook hier zit een weggewerkt luik; als je het opent, gaat er automatisch een lampje branden om het flessenrek te belichten. De achterwand bestaat - frivool! - uit een spiegel. In de deurtjes zijn houders voor wijn-, whisky- en champagneglazen. De inhoud van de weggewerkte kastjes toont subtiel het verschil tussen de president en het volgende echelon.

Ik hou van de geluiden van de trein, het rammelen, de regelmatige cadans, dat dzz dzz

dzz dzz. Wat is dat eigenlijk? Het heen en
weer geschud worden. Maar in het bijzonder
deze ruimte, het zich verplaatsende centrum
van de macht. Welke schoften zullen hier om
de tafel gezeten hebben?

Het fraaie is dat je nergens bent. Onderweg.
Gewoonlijk is onderweg tijdverspilling, in
een vliegtuig of een auto, in het beste geval kun
je wat lezen. In zo'n trein kun je schrijven,
nadenken (ik kan niet nadenken in een auto)
op je gemak naar buiten kijken, uit het raam
hangen, eten, drinken, dronken worden, rond-
lopen, bizarre gesprekken voeren. Aan boord
van zo'n trein krijgen mensen de neiging
elkaar levensverhalen te vertellen.

Ik mocht op het paard klimmen en een van de
csikósok hield 'm bij het halster vast: nu
krijgt-ie een klap op z'n kont, dacht ik, en
gaat-ie in gestrekte galop drie keer rond, over
het hek, door die plaggenhut en terug. Maar
niks, ik hield de teugels vast, voor joker, ik
werd aan de hand, als een peuter op de kermis
een rondje gereden. Ik voelde me volkomen
belachelijk. Het was natuurlijk de bedoeling
geweest dat een of andere blinde honderd-
jarige zich als vrijwilliger had gemeld en
achterstevoren op het paard was geklommen. Ik
keek geconcentreerd naar de zwarte, glanzende
manen tussen de oren van het paard toen ik
richting publiek werd geleid. Van een van de
Engelse dames hoorde ik later dat ze overlegd
hadden of ze voor me moesten applaudisseren
of niet.

Zodra ik de trein geacquireerd heb, huur
ik een machinist en een steward, voor de
koffie, de glaasjes water en de cognac en laat

me door het land rijden en schrijf ondertussen boeken. De machinist mag gewoon een beetje koersen, als hij maar niet te veel door polderland rijdt want daar word ik mies van en zolang hij ervoor zorgt dat ik 's avonds voor het eten thuis ben. We wonen vlak bij het station, dus dat is makkelijk. Jij mag ook een keer mee.

De zon, een tafel, een glas wijn of wodka, het lichte wiebelen van de trein, de wereld die aan je voorbijtrekt: 'God, had het hier maar bij gelaten.' (Vasalis)

Al goeds uit Hongarije, Jaap

Boedapest, Andrássy út, 11 uur maandagmorgen

Beste Adriaan,

'Ik heb de laatste tijd zulke rare fantasieën, die ik aan niemand durf te vertellen.' Deze zin heb ik net gevoelvol in een leeg schriftje geschreven. Ik zit in de kantine van de kunstacademie van Boedapest aan de Andrássy út tegenover de Lukács Cukrászda. Dat kan ik je aanraden wanneer je in een grote, vreemde stad komt; naar de kunstacademie gaan, binnenlopen zonder de conciërge aan te kijken, met iets onder je arm wat voor een kunstwerk kan doorgaan. Je stapt een willekeurig zaaltje in met experimenteel werk aan de wand en betekenisvol op de het parket gelijmde sigarettenpakjes en je neust rond. De sfeer is ontspannen, de architectuur groots, de koffie goedkoop en de vrouwen mooi. En je zit meteen tussen de jonge mensen die weten waar het gebeurt. (Een vriend van mijn moeder koopt nooit Michelin-gidsen maar vraagt de

dikste man van het dorpsplein waar je lekker
kan eten.) Eigenlijk was ik op weg naar
Lukács Cukrászda, een verslonsd Jugendstil-
koffiehuis, waar ik de eerste versie van
Tachtig heb geschreven.

's Morgens kwam ik daar destijds iets
voor negenen binnen, moest het licht
aanknippen en ging in de bovenzaal zitten.
Het management en de bediening waren
rustgevend ranzig. Er vertoonden zich vrijwel
nooit toeristen - die werden afgeschrikt
door de vergeelde vitrages en het door de
sigaretten grijs uitgeslagen pleisterwerk. Pal
achter de deur stond een spuuglelijke vitrine,
zo eentje die ze in snackbars gebruiken om
bamischijven en kroketten uit te stallen. De
bovenzaal was Jugendstil met proletarisch
meubilair. De sfeer was een beetje raar daar.
Zo leeg. Nu net hoorde ik dat het Lukács het
verzamelpunt was van de geheime politie in
de communistische tijd: het had zijn stigma
na de stille omwenteling behouden. Na een
tijdje wisten de verveelde serveersters wat ik
dronk en zetten het zonder vragen voor mij
neer. Cappuccino en om elf uur een glas
brandy met een havanna. Daar werd ik prettig
licht van.

Om één uur kwam er altijd een dikke,
forse man en even later een kettingrokende
vrouw. Ze deelden één koffie en één taartje,
zwijgend. De vrouw rookte non-stop, ook
terwijl ze van het taartje at. Dan gingen ze
weer uit elkaar. Een ander stel, ruim over de
veertig, dook zodra de serveersters niet keken
samen de plee in. Het leek mij mooi
symbolisch om mijn nieuwe roman ook weer
in Lukács Cukrászda te beginnen.

Ben jij al gepierced? Door de navel lijkt me iets voor jou en dan in te krappe Madonna-T-shirtjes op je mountainbike door de Jordaan scheuren. (Je weet dat je onvruchtbaar wordt van veel fietsen.) Van Jasper hoorde ik dat je een grote roofvogel op je rug hebt laten tatoeëren en dat je door met je schouderbladen te draaien hem kunt laten vliegen.

Als ik bij Lukács kom zie ik een houten schutting met daarachter een opengebroken pui, graafmachines, daarvoor een houten bank met schaftende werklui in overalls die me uitlachen. In hun mond stukken brood en salami, die door de werking van kiezen en enzymen beginnen te desintegreren. Ik ben te laat. Lukács wordt gerenoveerd. Op de schutting is een afbeelding van vier bij vier meter bevestigd van hoe het moet worden: flashy en banaal als het interieur van een Holland Casino. Ik vlucht de kunstacademie in. Boedapest zal niet meer zijn wat het geweest is.

Groet, Jaap

U zult een man in mij vinden

Op zoek naar de bloedgravin 2

Bij mijn eerste speurtocht naar de bloedgravin had ik vooral uitgevonden dat de Hongaarse bevolking niet van plan was, zonder dat ik ze vierendeelde of een voor een de vingers uittrok, iets prijs te geven over deze nationale schande. Erzsébet Báthory was weggeschoven in een verre, donkere hoek van het collectieve geheugen.

Pas jaren later, terug in Nederland, ontdekte ik meer over haar. Ik kwam haar tegen in Georges Batailles *De tranen van Eros*, een boek over de samenhang tussen religieuze extase en erotiek, tussen het meest schaamtevolle en het meest verhevene. Bataille schreef: *Indien De Sade van het bestaan van Erzsébet Báthory geweten had, zou ze hem ongetwijfeld in de uiterste staat van opwinding hebben gebracht. Erzsébet Báthory zou hem waarschijnlijk een dierlijk gebrul ontlokt hebben... Het gaat niet om schuldgevoelens, het gaat ook niet, zoals in de geest van De Sade, om de storm van het verlangen. Het gaat erom dat wij proberen ons een bewuste voorstelling te maken van wat de mens werkelijk is. Het christendom is deze voorstelling uit de weg gegaan. Waarschijnlijk zullen de mensen haar steeds uit de weg gaan, maar dat neemt niet weg dat het menselijk bewustzijn - hoogmoedig en nederig, hartstochtelijk, maar ook huiverend - zich moet openstellen voor de allergrootste afschuw. Dat iedereen nu gemakkelijk aan de geschriften van De Sade kan komen om ze te lezen, heeft geen*

invloed gehad op het aantal misdaden niettemin
ontsluiten zij voor het zelfbewustzijn de volle
omvang van de menselijke natuur.

De Hongaarse historicus Dezsö Rexa meende
dat als Báthory's daden in geleerde kringen
eerder bekendheid hadden gekregen, sadisme
niet sadisme had geheten maar báthoryisme. De
bloedgravin was een icoon van de surrealistische
groep in Parijs. Ze inspireerde de gebroeders
Grimm, Leopold von Sacher-Masoch en de
Nederlandse beeldend kunstenares Erzsébet
Baerveldt, die zich dezelfde voornaam en haarlijn
(door middel van een laserstraalbehandeling
van de haarwortels) aanmat. Tussen 1970 en
1974 werden er in Europa vier films over de
bloedgravin gemaakt (*Countess Dracula*, *Le
Rouge aux Lèvres*, *Ceremonia Sangrienta* en
Contes Immoraux). Ook Tony Scotts *The Hunger*
met Catherine Deneuve is indirect gebaseerd
op de Báthory-mythe. De rol van de bloedgravin
is een buitenkansje voor iedere actrice die
eens een *evil woman* wil spelen. Ondanks dit
alles is de bloedgravin vrij obscuur gebleven.

Maar met het neerhalen van het IJzeren
Gordijn zijn lang ontoegankelijke Midden-
Europese archieven ontsloten. Boekenschrijvers
en filmproducenten uit de Angelsaksische
wereld hebben zich met nieuwe energie op de
Báthory-mythe gestort, met als voorlopig
resultaat: drie boeken, en enkele films in voorbereiding. Opgetogen haalde ik de boeken in
huis: na al die jaren kon ik eindelijk meer te
weten komen over deze intrigerende Centraal-
Europese dame. *Blood Ritual* van de Engelse
Frances Gordon en *The Blood Countess* van
de Amerikaans-Roemeense Andrei Codrescu
vallen beide onder het genre horror-thriller. Wat

pornografische en sadistische uitweidingen betreft doen ze niet voor elkaar onder. Terwijl ik ze las dacht ik: waarom wijdt niemand een biografie aan Erzsébet Báthory? De beweringen over haar leven zijn al zo buitensporig en grotesk (zeshonderd dooie meisjes om een menopauze te bestrijden) dat dat niet met eigen fantasie aangedikt behoeft te worden.

De Engelse Tony Thorne heeft dit nu gedaan - de gedegen biografie *Countess Dracula*. Hij komt met een overvloed aan nieuw materiaal en een geheel andere theorie dan iedereen voor hem. Ik weet dat het geen absoluut criterium is om literatuur te toetsen, maar ik was nog geen kwartier in deze biografie aan het lezen of ik kreeg een vreselijke bloedneus. Van dat mooie donkerrode bloed dat maar niet stollen wil. Dat heb ik tegenwoordig nog maar met heel weinig boeken.

Met het boek van Tony Thorne in handen ging ik in de winter van 1997 terug naar Centraal-Europa, voor een toer langs het archief in Boedapest en de voormalige Báthory-kastelen in Lockenhaus en Čachtice. Hoewel Erzsébet Báthory bijna vierhonderd jaar dood is, blijkt ze behalve in Hollywood ook in delen van het voormalige Habsburgse rijk een revival te beleven.

Lockenhaus ligt in Oostenrijk en is een van de tientallen kastelen die Erzsébet bezat. De tegenwoordige kasteelheer is een dominant mannetje met voor zijn leeftijd overmatig veel energie. Hij sleept mij een donker gewelf in, de *Kult-raum* van de middeleeuwse Orde der Tempeliers. In deze ruimte, vertelt hij, werd vorig jaar de geest van de bloedgravin waargenomen. Onder haar arm hield ze een afgehakt meisjeshoofd. Bij het kerkje aan de voet van het kasteel zien de dorpelingen tegen het vallen van de avond nog regelmatig de bloedgravin rondscharrelen - ze klauwt naar voorbijgangsters.

De kasteelheer loopt voor mij uit en wijst uit het raam naar het lager liggende dorpje: 'Daar wonen families die in het verleden dochters aan haar moesten afstaan.'

Hij toont De IJzeren Jonkvrouw. 'Een patent van de bloedgravin,' verzekert hij me. Het is een holle stalen pop met twee openslaande deurtjes met scherpe stalen punten. Wie zich in het omhulsel bevindt, zal met het sluiten van de deuren doorspietst worden. De kasteelheer legt enthousiast uit hoe het bloed door een netwerk van kanaaltjes, als het irrigatiesysteem voor een sinaasappelboomgaard, over een afstand van zeker twintig meter, naar Erzsébets bad vloeide.

'Zij was op het idee van het bloedbaden gekomen toen zij een bediende met slaag bestrafte en er een druppel bloed op haar gezicht spatte. Zij ontdekte dat de huid op die plek lichter en mooier bleef. Van het een kwam het ander,' vertelt de kasteelheer en hij gaat mij voor naar de garderobe, een kale ruimte met eikenhouten kapstokken. Hij vermoedt dat Erzsébets badkamer hier was. Een zompig gedoe moet het geweest zijn, dat baden, als in klonterige stroop.

Als we in Erzsébets voormalige slaapkamer even gaan zitten om van de indrukken te bekomen, zegt hij: 'Door in het bloed te baden dacht ze de eeuwige jeugd te hebben. Ze is weliswaar onsterfelijk geworden, maar niet op de manier die ze in gedachten had.'

De Transsylvaanse vorsten, onder wie de prinsen
Báthory, werden zolang ze de Turken tegen-
hielden, door de Habsburgers vrijgelaten en
konden daar in de Karpaten zo'n beetje doen
waar ze zin in hadden, zelfs protestants blijven.
Erzsébet trouwde met graaf Ferenc Nádasdy,
oorlogsheld, afkomstig uit een invloedrijke
familie met veel bezit in het westen van
Hongarije. Hij was vrijwel ononderbroken aan
het front, waar hij volgens de overlevering
danste met de lijken van Turken. Op het
schilderij dat er van hem bewaard is, ziet hij
eruit als een grote, botte vent die je zonder
probleem boven zijn hoofd tilt en naar de
andere hoek van willekeurig welke feestzaal
werpt.

Toen Ferenc in 1604 stierf, werd Erzsébet
de hoedster van de omvangrijke bezittingen.
Ze moest haar landerijen laten renderen, tientallen kastelen onderhouden, honderden
bedienden instrueren, geschillen schikken,
kerken subsidiëren, studenten en kunstenaars
ondersteunen, drie kinderen opvoeden (ze
kreeg er vijf, twee stierven jong), medische
verzorging voor kinderen en bedienden in
goede banen leiden (de artsen waren kappers,
gewapend met timmermansgereedschap) en
de op haar bezit azende edelen van het land
houden. Haar taak zou nu te vergelijken zijn
met het leiding geven aan een multinational.
Te paard kostte het dagen van het ene
landgoed naar het andere. Die goederen lagen
verspreid over het huidige Kroatië, Hongarije,
Slowakije en Oostenrijk, waar ook toen verschillende talen en dialecten werden gesproken.
Erzsébet sprak en schreef Latijn, Grieks,
Hongaars en Duits. Zij beheerde, voor zover

na te gaan, de bezittingen efficiënt.

Weduwen waren geliefde objecten om te bestelen. Koud twee jaar na de dood van haar man probeerde graaf Bánffy een afgelegen landgoed bij Kaposvár in te pikken, waarop zij hem dit briefje schreef:

Magnifice Domine Nobis Observandissime
Moge God u al het goede schenken. Ik
moet u schrijven over de volgende kwestie: mijn
bediende János Csimber kwam gisteravond
thuis en meldde mij dat u mijn landgoed in
Lindva hebt bezet. Ik begrijp dit niet, waarom
hebt u dat gedaan? Denkt u niet, György Bánffy,
dat ik een tweede weduwe Bánffy ben! Geloof me
maar, ik zal hier niet stilzwijgend aan voorbij-
gaan, ik sta niet toe dat wie dan ook mijn
bezittingen inneemt. Alleen dit wilde ik u laten
weten. Ex arce nobis Kapu 3 Feb 1606.
Elizabeta Comittissa de Bathor

Postscriptum: Ik weet, meneer, dat u dit hebt
gedaan, mijn kleine landgoed hebt bezet,
omdat u arm bent, maar denk niet dat ik u de
rust zal laten er het genot van te smaken. U
zult een man in mij vinden.

In een tijd dat per brief eindeloos beleefdheden werden uitgewisseld, is dit een buitengewoon scherp kattebelletje. Het staat in de biografie van Tony Thorne, en is een van de vele niet eerder gebruikte documenten die hij uit Midden-Europese archieven heeft weten op te duikelen. Thorne toont aan dat de weduwe Báthory een sterke, onafhankelijke vrouw was; eerder een feministe dan een seriemoordenares avant-la-lettre. 'U zult een man in mij vinden.' Wat een superieure zin. Dat op zich was in de patriarchale wereld genoeg om tot heks verklaard te worden en op de brandstapel te eindigen.

Daarbij was zij protestants. Als zij een alliantie zou aangaan met haar neef vorst Gábor Báthory in Transsylvanië, vormde ze een serieuze bedreiging voor de katholieke Habsburgers. Gábor zat tenminste nog ver weg in de Karpaten, maar Erzsébets bezittingen lagen op strategisch belangrijke plekken in het westen van Hongarije; een keten van kastelen in een halve maan tussen het door de Turken bezette laagland en Wenen. Voordat Erzsébet zich met andere protestantse Hongaarse edelen bij Gábor zou aansluiten, moest zij geneutraliseerd worden; losgeweekt van mogelijke medestanders en van haar macht ontdaan.

György Thurzó, de onderkoning van Hongarije, vazal van de Habsburgers en buurman van Erzsébet, bracht haar ten val. Op de avond van 29 december 1610 trok hij met een detachement soldaten en vergezeld van de twee, niet lang daarvoor tot het katholicisme bekeerde schoonzonen van Erzsébet op naar het huis bij Čachtice. Erzsébet vluchtte niet door het onderaardse gangenstelsel. Thurzó claimt dat hij haar betrapte terwijl zij juist een dienstmeisje vermoordde.

Deze beschuldiging werd onmiddellijk, om de toon te zetten, hard van de daken geschreeuwd. Binnen enkele dagen werd een groot aantal mensen verhoord en stapelden de beschuldigingen aan Báthory's adres zich op. Marteling behoorde in die tijd standaard tot ieder verhoor, ook al was je een volkomen onschuldige voorbijganger. Het is te vergelijken

met een communistisch staatsproces; de getui-
genissen zijn kwantitatief, niet kwalitatief.
Op de opgetekende, in een Boedapests archief
bewaarde beschuldigingen van dit proces
zijn de theorieën, films en boeken tot nu toe
gebaseerd.

Erzsébets handlangers, twee vrouwen, Jó en
Dorkó, en Ficzkó, waarschijnlijk een dwerg,
werden snel berecht. Op 7 januari 1611 werd
het vonnis uitgesproken en aansluitend uitgevoerd. Bij de vrouwen werden eerst met een
tang de vingers uit de handen getrokken en
daarna werden ze levend op de brandstapel
gebonden. Ficzkó werd vanwege zijn jeugdige
leeftijd clement behandeld en onthoofd voordat men zijn lichaam op het vuur gooide.
Erzsébet werd veroordeeld tot huisarrest in
haar kasteel bij Čachtice. De opzet haar te
isoleren was geslaagd.

Na Lockenhaus reis ik noordwaarts naar
Slowakije, naar de modderige Witte Karpaten,
naar de ruïne van het kasteel van Čachtice,
dat ik zeven jaar eerder, in 1990, ook al
bezocht. Het ligt van God verlaten op een rots,
omringd door bossen en wild gras. Het is
alleen te voet te bereiken. De dorpshistoricus
van Čachtice en een tolk maken mij wegwijs.
De tolk verzekert me dat er in de Witte Karpaten
nog altijd bruine beren leven en de dorpshistoricus vraagt mijn kaartje en glimt als hij
terloops zegt dat hij ook de kaartjes heeft
van een Japanse cameraploeg en een Griekse
prins die naar Čachtice kwamen voor de
bloedgravin. Hij vertelt in detail hoe zij haar
slachtoffers teisterde; ze stak pinnen in
borsten, beet happen uit wangen en schouders,

overgoot naakte meisjes in de vrieskou met
water. Onderweg van het ene landgoed naar
het andere martelde zij voort met naalden en
pinnen, waardoor de koets af en toe halt moest
houden om aan de kant van de weg dienst-
maagden te begraven. Zij is het toonbeeld
van de verachte Hongaarse adel: 'Die waren

allemaal door en door slecht.'

In Hongarije wordt Erzsébet Báthory
weggemoffeld en uit de boeken geschrapt, in
Oostenrijk is ze handel en in Slowakije een
symbool van de excessen van de Hongaarse
overheersers en aristocratische decadentie in
het algemeen. De ontmoetingen tijdens mijn
rondreis illustreren Tony Thornes boek: hoe
ieder naar eigen goeddunken varieert en vrij
associeert op de mythe van de bloedgravin.
Thorne: *Ze is twee jungiaanse archetypen in
één: de boze stiefmoeder en de femme fatale. Ze
belichaamt thema's die nu opgang maken: ze
is een vermeende moordenares, maar ook een
vampier en een vrouw die in een mannenwereld
macht bezat, en ze komt ook nog eens uit een tijd
en een plaats ver weg.*

Thorne geeft een helder beeld van de tijd
en de plaats: niemand keek eigenlijk op van
het ombrengen van bedienden of het beroven
van een weduwe. Bestendiging van de
macht, ten koste van alles, telde. Een van
Thornes verdiensten is dat hij de bloedgravin-
geschiedenis uit de pornografische hoek haalt.
Hij redt Erzsébetnéni uit de handen van
Hammer Horror Movies en maakt aannemelijk,
zoals de oude dame onder de appelboom
mij zeven jaar eerder al vertelde, dat de hele
Báthory-mythe gebaseerd is op een middeleeuwse lastercampagne. En wel een dermate

succesvolle lastercampagne dat nu, vierhonderd jaar na dato, Slowaakse boerinnetjes 's nachts nog steeds nauwelijks uit bed durven om te controleren of de kippen op stok zitten.

De bloedgravin sprak geen Slowaaks. Ze had vrijwel geen Hongaarse bedienden meer. Na vier jaar, voordat er uitspraak gedaan werd in de zaak tegen haar en voordat zij ooit de kans kreeg weerwoord te bieden tegen de aanklachten, stierf zij binnen de muren van de burcht. Sommigen zeggen dat zij in de kelder ingemetseld was. Dat zal Hollywood bevallen: goed dramatisch, steen voor steen. De laatste steen. Klodder specie, steen wordt in gat gestopt, donker, zwart vlak: *The end*.

Wat er met Erzsébet Báthory's lichaam is gebeurd weet niemand. Er is geen graf. Haar bezit ging over op haar zoon, twee dochters en de paapse schoonzonen. Zij lieten het kasteel boven Čachtice vervallen. De dorpelingen hebben hun dat tot op de dag van vandaag niet vergeven, en vertellen hoe de bloedgravin in wangen beet, in maagdenbloed baadde en ervan dronk. En wij luisteren. Wij willen die verhalen. Wij willen haar zo. Wij zuigen haar leeg. Wíj zijn de vampiers.

I never took heroin

Toen ik achttien was, ontdekte ik de boeken van Jack Kerouac en William Burroughs. Ik zag foto's van Burroughs in Tanger, waar hij zijn toevlucht zocht om vervolging in de Verenigde Staten te ontlopen, vrijelijk drugs te gebruiken en te schrijven. Kerouac volgde later. Ik bewonderde hun non-conformisme en hang naar avontuur.

Veertig jaar na hen reis ik per trein en boot naar Tanger, voormalige vrijhandelsplaats, het noordelijkste puntje van Afrika, de plek waar Europa in het desolate continent overgaat. Niet ver van Marseille ga ik de loopplank op van de Marrakech, het schip dat me naar Tanger zal brengen, en kom terecht in prince de Lignacs natte droom: een hal met tientallen week lachende Marokkaanse jongens in matrozenuniform. Ze staan in gelid langs de wand en knipperen met hun ogen.

De sleutel van mijn hut verschaft de toegang niet anders dan na een ritueel van morrelen, tillen, trekken en duwen. Steeds als ik een halve minuut sta te klungelen komt er een getreste dekjongen aangesneld om de deur met watervlugge elegantie te openen en verliefd naar me op te kijken of ik verder nog iets in de hut gewenst had. Ik ga ertoe over nadrukkelijk hetero te lopen: de romp vooroverhellend als een rugbyspeler die de bal over de achterlijn gaat drukken, waarbij de blik steeds streng op de horizon gefixeerd blijft. En natuurlijk niet glimlachen.

Ik trek me terug in de hut en lees de brieven van Burroughs en blader in de boeken over hem en Kerouac die ik met me meesleep. Dat William Burroughs niet uit belangstelling voor de oriëntaalse cultuur naar Tanger reisde, wordt uit zijn brieven snel duidelijk: *What's all this old Moslim culture shit? One thing I have learned. I know what Arabs do all day and all night. They sit around smoking cut weed and playing some silly card game.*

In de Straat van Gibraltar kun je veel dolfijnen zien. In groepjes van vijf zwemmen ze aan alle kanten langszij. In de verte liggen blauwe bergen, het Atlasgebergte. Daaronder ergens moet Tanger liggen. Ik sta op het dek tegen de reling en ril van opwinding. De havenstad werd niet alleen door Kerouac en Burroughs aangedaan, maar ook door Truman Capote, Tennessee Williams, Timothy Leary, Gregory Corso, Allen Ginsberg. Allemaal kwamen ze naar Paul Bowles, die zich daar in 1948 gevestigd had. En nu zijn ze allemaal dood. Alleen Tangers gastheer Bowles leeft nog.

De stad is een open vuilnisbelt. Midden in het centrum wordt alle rotzooi van de hellingen gelazerd. Schrale geiten zoeken iets eetbaars tussen het plastic en papier. De stoepen en de caféterrassen puilen uit van de tandeloze kerels. Burroughs: *There is an end-of-the-world feeling in Tangier, with its glut of nylon shirts, Swiss watches, Scotch and sex and opiates sold across the counter. Something sinister in complete laissez-faire.*

Hotel Muniria afficheert zich als hét beat-generation-hotel. De verf is zo wit en vers dat het pijn aan de ogen doet. Een jonge Marokkaanse vrouw opent de deur. Het is binnen klein en smal en een lobby is er niet, de trap gaat achter de voordeur direct omhoog. De vrouw neemt me mee naar boven, maar helaas is kamer 4, Jack Kerouacs kamer, bezet. In William Burroughs' kamer woont zijzelf, haar man ligt nog te slapen. Als troost krijg ik enkele zwart-witfoto's van de schrijvers te zien die ik al ken.

Paul Bowles, de laatste overlevende van de generatie die Tanger roem verschafte, is bereid me te ontvangen. Om de wereldberoemde schrijver gunstig te stemmen koop ik bloemen op straat. Er ontstaat een oploopje terwijl ik met zorg een boeket laat samenstellen. Géén rood. Gele dahlia's en geeloranje rozen, veel. Ik weet: geel is de kleur van de haat, maar ook van de Sahara, waarin Paul Bowles heeft rondgedwaald. Ik loop naar de bus- en taxi-standplaats. Vrouwen kijken met grote ogen naar de bos bloemen en lachen en flirten vanonder hun hoofddoeken. Het merendeel van hen moet waarschijnlijk eerst sterven om bloemen te krijgen.

Paul Bowles woont in een betonnen appartementenblok. De lift zakt twintig centimeter als ik instap. Het appartement naast Bowles staat leeg. Door een getralied gat is een aan gort geslagen keuken waar te nemen. Op Bowles' deur zit een dubbel slot. Ter hoogte van het slot is het hout van de deur gesprongen, iemand heeft geprobeerd een breekijzer tussen lijst en deur te wrikken. Linksboven is een messing plaatje bevestigd met daarop in een schreefloze jaren vijftig-letter: BOWLES.

Paul Bowles wordt afgeschermd door twee norse types. Ik krijg een halfuur. Hij ligt op een matras in de hoek van een schaars verlicht kamertje van drie bij vier. Hij is een wonder van gedistingeerdheid en elegantie in een bukowskiaanse puinhoop: zijn dunne, grijswitte haar is gekamd, hij is gekleed in een kimono met een choker. Hij ligt temidden van duizenden waarschijnlijk vergeten gebruiksvoorwerpen: medicijnverpakkingen, doosjes, tubes, potjes, boeken, cassettebandjes, stapels post, onaangebroken pakken biscuits, blikken Quality Street, chocolaatjes, zoutvervangers, tissues, pantoffels, een kleine ventilator, een vergrootglas met licht. Pontificaal torent boven dit alles een tweeënhalf literfles Heinz-tomatenketchup uit.

Ik ben gekomen om hem over vroeger te vragen, om hem uit te horen over William Burroughs en Jack Kerouac. Ik geef de bloemen. Hij kan ze nauwelijks vasthouden.

'What colour are they?'

'Yellow.'

'Oh, I thought they were white.'

De huishoudster zet ze op de kast en laat ons alleen. Bowles ligt al acht jaar in bed. Hij glimlacht. Hij zou weleens flink pijn kunnen hebben. Ik moet schreeuwen, want hij is zo goed als doof. Hij is zevenentachtig. Hij ziet vrijwel niets, alleen zoals hij laat weten naar aanleiding van de bloemen: 'Bright lights and shadows - It fades into nothing.'

'I can see your face,' zegt hij.

Hij zat in Parijs na de oorlog, tegelijk met Hemingway en wat er over was van de surrealisten. Gertrude Stein raadde hem aan naar Tanger te gaan. Ik voel me een beetje een aasgier, zittend op de rand van het bed van de zieke, oude schrijver, die zichtbaar met alles moeite heeft. Ik durf niet goed over Burroughs te beginnen. Burroughs was beledigd omdat hij nooit bij de familie Bowles op de thee genood werd, terwijl algemeen bekend was dat hij in Tanger verbleef. Uiteindelijk kwam hij zelf naar Bowles toe met de uitgeefovereenkomst voor de roman *Junkie*, om advies over het contract te vragen.

'He was maltreated by the publishers. And he had very little money. He spent it all on drugs,' zegt Bowles.

In eerste instantie gelokt door de verhalen in Bowles' romans *Let it come down* en *The Sheltering Sky*, was voor Burroughs Tangers hoofdattractie dat hij probleemloos een rits heroïne-vervangers kon krijgen.

'My wife was horrified by him. Junks, they are all the same. They are only interested in their next fix.' Doordat Jane Bowles hem afstotend vond, negeerde Paul hem. Voor je het weet zijn je zilveren servetringen pleite. Burroughs kreeg de bijnaam 'Bad news.'

'I never took heroin.'

Ik geloof hem. Hij is aardig en beschaafd. Aardiger dan William Burroughs vermoedelijk. Als ik Bowles op mijn achttiende had gelezen, was ik nu misschien een degelijke ingenieur geweest. Of zoals Burroughs dat noemde: 'a Johnson'.

'I'm not proud of anything,' zegt Paul Bowles bij het afscheid.

De gids bezweert me alle soorten drugs te kunnen bezorgen. Hij neemt me mee door de joodse wijk, over de avenue El Haj Mohammed Tazi naar de rotsen met oude Romeinse graven. Jongens oefenen zich in acrobatiek.

Ver achter ons, op de heuvel, ligt een van de paleizen van de koning, omringd door de vrijwel even grote paleizen van Saoedische miljardairs. We drinken thee met uitzicht over de Atlantische Oceaan en de Straat van Gibraltar. In de verte ligt Spanje.

'Mick Jagger was here,' zegt de gids trots en wijst naar de tafeltjes en stoeltjes van Café Hafa.

'When?'

'Twenty years ago.'

Als het nacht wordt ga ik naar de bar van Hotel Muniria. Vette westerse hippies draaien me hun slappe gezichten hoopvol toe. Ik maak rechtsomkeert. Ik zwerf door de verlaten straten en loop een discotheek binnen: Marocco Palace. Bij de ingang staan drie mannen in vale smokingjasjes. Door een lange gang met versleten, rode vloerbedekking kom ik in een grote zaal. Mijn ogen moeten wennen aan het donker. De zaal is in rood schijnsel gehuld. Op een podium speelt een viermansorkestje op inheemse instrumenten. De zaal is leeg. Langs de wanden zitten vrouwen in witte gewaden. Ze zitten per drie om tafeltjes met ronde koperen bladen.

Een oude droom komt uit: ik ben in een harem beland. Ik voel me geen Paul Bowles, geen William Burroughs, geen Jack Kerouac, maar Gustave Flaubert. De courtisanes lachen me toe. Ze zijn wat aan de dikke kant. Grote, mollige lichamen om me tegen aan te vlijen. Jammer dat de Philips ladyshave haar weg naar Marocco Palace nog niet gevonden heeft.

Geen stad voor getrouwde mannen

Wie wil begrijpen waarom de Russen nog vrijwel nooit een oorlog verloren hebben, moet naar de Hungry Duck Bar in Moskou gaan. Tatjana, die me ermee naar toe zal nemen, beschrijft de bar als een plek waar de zaken uit de hand lopen: 'Er wordt op de tafels gedanst en op de bar. Vrouwen trekken spontaan hun kleren uit. Tenminste op vrijdag-, zaterdag- en zondagavond.'

Het is dinsdag. Ik ben net een paar uur in Moskou, op doorreis naar de Oeral. Op de vluchtstrook langs de weg van het vliegveld naar het centrum van de stad boden mannen autobanden en blikken olie te koop aan. Tussen de flats in verval doorkruisten mannen en vrouwen met plastic tasjes achteloze stukken niemandsland; heuphoog gras en hier en daar een struik. Afrikaanse savanne waar leeuwen zich schuilhouden naast de betonrot. Terwijl de taxi voor een stoplicht wachtte, hurkte een oud vrouwtje drie meter naast me onder een boom, tilde haar zwarte jurk op en begon te plassen. De onbevangenheid waarmee ze dat deed, ontroerde me. Ze had heel witte billen. Uit haar schoenen staken kranten.

Voor we naar de Hungry Duck gingen, wilde Tatjana me het metrostelsel van de stad tonen. Tatjana: 'Stalin heeft de metro vijftig meter onder de grond laten aanleggen, zodat hij ook dienst kan doen als schuilkelder.' De roltrappen naar beneden zijn inderdaad waanzinnig lang en de stations zelf imponerend groot en fraai. Je ziet de rijen mensen er al liggen. De lay-out van de metro, een ringlijn met een serie diametralen, maakt haar goed bruikbaar voor de stadsguerrilla. Bij Koeznetski Most gaan we naar boven. De lucht is diep donkerblauw. We komen bij een pleintje waar groepjes studenten staan. 'Misschien zijn we te vroeg,' zegt Tatjana.

Een ranzig betonnen gebouw rijst hoog boven ons uit, het heeft iets van een graansilo. We worden gefouilleerd. We lopen een trap op. Een meisje, stomdronken, komt naar beneden en schuurt langs de muren. Ze heeft een volkomen bezeten blik. Harde muziek komt ons tegemoet. 'Welcome to the Hungry Duck!' schreeuwt Tatjana. We betreden een grote bunker, langs de muren zijn houten tafels, in het midden van de zaal staat een U-vormige bar. Op die bar dansen mannen en vrouwen. Binnen de bar, het domein van het bar- personeel, staan drie tafels, daarop dansen twee meisjes.

Voor mij is de definitie van geluk: de toe- stand waarin het ego verdwijnt. De toestand van het niet-zijn. Bij mij zijn die momenten zeldzaam. Ik ben niet goed in staat mezelf te verliezen, hoewel het aantrekkelijk is, het volledig opgaan. Dat onvermogen deel uit te maken van de dingen is, behalve irritant, een eigenschap die me geschikt maakt schrijver te zijn. In The Hungry Duck het oude liedje. Tatjana danste wild rond. Ik dronk stug wodka en observeerde: drank over de vloer. Jonge vrouwen in korte rokjes die zich te buiten gaan aan wild heupzwaaien op de bar.

Bier & wodka uit grote, doorzichtige plastic bekers, overal gescheurd en vertrapt op de

vloer. Hard wordt het refrein meegezongen:
'I'm gonna rock you.
I'm gonna fuck you.'

Jonge jongens in T-shirts, maar vooral heel jonge meisjes. Veel vrouwen die niks aanhebben behalve rokje en bh. Een energie, geilheid en ongeremdheid in de lucht die ik, calvinistische polderjongen, niet ken. Niet geraffineerd of met voorbedachte rade als in de Amsterdamse Roxy. Het is alsof er een oerkracht is losgekomen die alles meesleept. Op het balkon wordt in de buitenlucht gekust, gedanst en gehangen. Door de opengebroken ramen beukt de muziek naar buiten. Vrouwen kussen ongegeneerd met verschillende mannen.

Striptease op de bar. Ze gooit haar bh uit. Gejoel. Ze sjort aan haar onderbroek. Gejoel. Tatjana komt langs met twee armen in de lucht, ze lacht. 'We zijn in het hart! In het hart van Rusland!' schreeuwt zij.

Ik knik instemmend.

Is dit niet de essentie van op stap gaan? Vrouwen die op de bar met hun heupen staan te zwaaien en onschuldig zijwaarts blikken terwijl ze hun borsten heen en weer schudden alsof zij de stroom moeten opwekken die de muziek gaande houdt. Mannen die gestaag dronken worden en steeds geiler omhoogstaren vanaf de vloer.

Meisjes met kleine handjes en kleine tietjes die met hun heupen draaien als ervaren strippers.

Er bestaat geen sexueel taboe hier.

De energie, de totale onstuimige energie van deze stad, die moeten we zien te vangen.

'I'll survive' - Gloria Gaynor.

'Should I stay or should I go' - The Clash.

'Sexmachine' - James Brown.

Langzaam wordt de geilheidsfactor opgevoerd. De heupen, de benen, de konten, de tieten kunnen me niet echt beroeren. Eén ding raakt me (oude, sentimentele, romantische gek die ik ben): de jongen en het meisje die zichtbaar van elkaar houden en op de bar lepeltje-lepeltje dansen. Zij heeft dunne beentjes.

Zo'n poel des verderfs als deze heb ik niet eerder meegemaakt. Het is vijf over twee en het is zo ver: iedereen wil nog maar één ding.

Op de centrale bar staan twee blonde vrouwen te dansen als cyclopen. Enorme plastic bekers in de hand.

Nergens zijn de Beastie Boys zo op hun plaats als in Moskou. Blanke negers!

De barmeisjes, die rondjes om de tafel rennen en steeds een vuist in de lucht gooien: het werkt aanstekelijk. Ik krijg zin om te dansen.

Dan zie ik een jongen lopen die ik van vroeger ken. De laatste keer dat ik hem zag was in Twente, in tuindorp Het Lansink. Het was zondag en ik had een priestergewaad aan en paradeerde daarmee door het park. Ik ga naar hem toe. Hij lacht.

'Sjapske!' Hij neemt me op van top tot teen: 'Wat doe jij híer?!' Stef is in gezelschap van nog een Hollander.

'Op doorreis. Ik wil een stuk schrijven.'

Stef gaat wodka en bier halen.

Stef: 'Hoorde je dat? Of ik met haar naar bed wil. Gratis, omdat ik Europeaan ben.' De logica ontgaat me. 'Dat noem ik nog eens gastvrijheid.'

'Is dit normaal hier?' Ik kijk om me heen naar de stomdronken omvallende mannen en vrouwen.

'Vanavond is het nog heel rustig, moet je hier in het weekend komen. Die Russen, als die op stap gaan dan is er geen morgen. Tactiek van de verschroeide aarde. Dit is nog heel ingetogen, hier.' Stef loert om zich heen: ' 't Is geen stad voor getrouwde mannen.'

Ze lachen veelbetekenend. Ze zijn ongetrouwd en werken voor grote bedrijven.

Stef: 'Het tweede aanbod! Ik zei: "But I'm with friends." "If they are nice I can take them as well," zei ze.'

Dat is de spirit, daarmee worden oorlogen gewonnen.

Ronaldo-shirts zijn ook hier populair.

De enorme lol waarmee iedereen danst.

Het verlangen deel te willen uitmaken van deze onstuimigheid.

'Great Balls of Fire.'

'Fight for your right to party.'

Stef: 'Vorige maand moest ik naar Kazachstan, daar is het wildwest hoor. Je weet waar dat ligt?'

'Van Risk, ja.'

'Word je van het vliegtuig gehaald door drie zwarte auto's en acht bodyguards - die dus ook de hele tijd bij je blijven. 's Avonds word ik meegenomen het woud in, naar een kolossale blokhut, een disco met driehonderd vrouwen. Geen man te bekennen, alleen bij de deur en achter de bar. Zegt die man met wie ik zaken doe: "Stefan, you're my friend: you choose."'

Stef brult en oreert aan één stuk, tot hij er moe van wordt.

'Wat ga je eigenlijk doen?'

'Met de trein richting Siberië, naar Jekaterinburg.'

'Waar gaat die reportage over? Zware industrie?! Geil!' roept Stef. 'Je moet hier blijven man. Moet je zien, kijk om je heen, wat een stad. Je hoeft toch niet naar Siberië?'

'Oeral.'

'Whatever.'

'Ik wil weg hier.'

'Hoezo?'

'Gewoon.'

In het oude sovjethotel Rossia zijn zesduizend bedden. Het ziet ernaar uit dat mijn kamer ontworpen is door de hipste Londense ontwerper. De combinatie van verschillende soorten nephout, vitrage en oranje lampenkappen is geraffineerd. De badkamer is tot aan het plafond bedekt met hardblauwe tegels, de sleetse handdoeken zijn kleiner dan de boerenzakdoeken die mij de winter door helpen en de wc kan alleen doorgespoeld worden door de douche vol aan te zetten en de douchekop in de pleepot te steken.

Ik word om halfnegen gewekt door een snerpende telefoon. In Nederlands met een grappig accent wordt me bevolen beneden te komen.

'Met wie spreek ik eigenlijk?'

'Met Masja, uw gids. U heeft stadstoer, de chauffeur staat klaar.'

'Sorry, daar weet ik niets van.'

'Komt u nu maar, ja, naar het kantoor van Intourist, ja?!'

Ze klinkt als prins Bernhard, maar dan dwingender, humorlozer, alsof ieder vermogen tot relativering is weggesneden. Ik hou er niet van als mensen me bevelen. Maar goed, 's avonds een man, 's morgens een man.

Bovendien, ik ben voor het eerst van mijn leven in Rusland. Wat niet wegneemt dat het toontje van die KGB-agente slecht op het humeur werkt. Bij Intourist werkt men nog onder het adagium van Heraclitos: alle vee wordt met de zweep gehoed. Geïrriteerd ga ik de gang op en volg het uitgesleten spoor in het bruine vloerkleed richting liften.

Daar word ik tot staan gebracht door mijn lieftallige verdiepingsdame. Ze zit achter een balie met tientallen opbergvakjes, haar immense lichaam in een stofjas verstopt.

'Keejs!' beveelt ze. Ze steekt een mollige hand over de balie.

'No keys, keys in room,' zeg ik.

Naast haar staan twee ijskasten met flesjes Surinaams ogende drankjes. Achter haar tegen de reling van het trapgat is een gigantisch fotoaffiche bevestigd van een spetterende waterval in een jungle. De frisheid van de af-beelding rijmt niet met de alles doorwasemende zweetlucht die rond de verdiepingsdame hangt.

Masja blijkt een vrij klein, zorgelijk vrouwtje te zijn, eerder kordaat dan pinnig. Ze gebruikt tijdens de rit fraaie woorden als 'elitewoonhuizen' en 'liefdeshuwelijk'.

De chauffeur van de grote Mercedes die haar en mij door Moskou toert, heeft een Karpatenkop.

'Hoe zou u de Russen beschrijven?' vraag ik.

'Hmmm. Hoog opgeleid. Begaafd. Mystiek. Groot uithoudingsvermogen. Groot vermogen om te lijden,' zegt Masja, 'iets wat jullie in het Westen helemaal niet meer kennen.'

De belangrijke plaats die geld in de Hollandse cultuur inneemt, de waarde waaraan alles gerelateerd wordt en waar elke gids tijdens een rondvaarttocht door de Amsterdamse

grachten op het gênante af steeds weer over
begint, lijkt in de Russische cultuur te worden
ingenomen door oorlog. Links en rechts wijst
Masja mij op standbeelden van oorlogshelden,
herdenkingstekens en oorlogsmusea.

'Op deze heuvel wachtte Napoleon op de
sleutel van Moskou. Maar niemand kwam,
de stad was verlaten. De bevelhebber van het
leger redeneerde: als Moskou verloren is, is
Rusland nog niet verloren. Honderd kilometer
buiten Moskou heeft het Russische leger
Napoleon verslagen,' zegt Masja tevreden. 'En
wat is honderd kilometer? Niets toch. Wij
hebben een spreekwoord: honderd roebel is
geen geld; honderd gram is geen wodka;
honderd kilometer is geen afstand.'

We rijden over een brede weg en ineens
stopt de chauffeur. Politieautootjes vegen de weg
schoon. Alle auto's gaan naar de kant. De zesbaansweg is volkomen leeg, zover ik kijken kan.

'Jeltsin,' zegt Masja en er klinkt weinig
warmte in haar stem. 'Hij zegt dat we geen
crisis in Rusland hebben, hij had evengoed
kunnen zeggen dat we geen sex hebben in
Rusland.' De chauffeur heeft de motor afgezet.
Braaf en mak als schapen staan de auto's
tegen de stoep. De agenten kijken en lijken
even zenuwachtig. Ik hoor geluid van auto's en
sirenes. In de verte nadert een zwerm auto's,
voorop twee politieauto's met zwaailichten en
sirenes, sirenes die het Amerikaanse geluid
voortbrengen, woooh-woooh, als wolven in de
nacht. Achter de politieauto's is een gat van
honderd meter, dan volgen in een kluitje twee
hard scheurende zwarte BMW's en drie lange,
zwarte, Russische limousines. Daarachter rijdt
een grote blauwe bestelbus met veel mannen

erin. Het geheel wordt afgesloten door een enkele politieauto. Als die gepasseerd is, zet het verkeer zich weer in beweging.

'De hele weg, tot aan het Kremlin wordt afgezet,' zegt Masja hoofdschuddend. 'Aan de discipline van de weggebruikers kun je de macht van de president aflezen. In de nadagen van Gorbatsjov reden de mensen op de buitenste banen gewoon door.'

'Hebt u vrienden in Moskou?' vraag ik.

'Nee, nee niet echt. Vrienden maak je tot een bepaalde leeftijd, daarna kennissen. Ik kom uit Sint-Petersburg, dat is toch anders.'

'Hoe dan?'

'Moskovieten zijn handiger, die voelen zich echt Moskoviet, ja.' Ze schudt haar hoofd. 'Mijn dochter woont ook hier - het leven is hard. Ik spreek Duits, Nederlands. Ik heb genoeg werk. Er zijn veel mensen die geen brood te eten hebben.'

We komen over het Rode Plein bij Hotel Rossia terug. Masja en de chauffeur zullen ons over enkele uren naar het station brengen. Tatjana wacht me op in de lobby, die zo groot is als een tennishal. We gaan de straat op. De zon begint te zakken. De koperen koepels van het Kremlin schitteren.

Lange, lange benen zweven over de pleinen. Een hoog Lolita-gehalte. Vrouwen drinken stug halve liters.

We zijn gaan zitten bij de fonteinen vlak bij het Kremlin, de plek om te flaneren, een bezigheid die hier nog fanatiek wordt beoefend en niet door modern vermaak is verdreven.

'Het zijn echte vrouwen, ze bewegen als vrouwen, kleden zich als vrouwen. Alsof ze willen zeggen: kijk, ik ben een vrouw, hier sta ik.'

'Heb jij dat ook, dat je voelt dat dit land zich in alle richtingen duizenden kilometers uitstrekt?' zeg ik.

De Mercedes brengt me naar het Jaroslav-station. Tegen de zijkant van het station zitten als zwaluwnesten kleine winkeltjes geplakt waar glimmende goudkleurige horloges en inferieure elektronica verkocht worden. Dronken mannen in lompen lurken aan bierflesjes. Een man met nog maar enkele stompjes tanden legt een eelterige hand op mijn pols. De hand voelt aan als gedroogde krokodillenhuid. Ik geef hem mijn kleingeld. De man haast zich naar de dichtstbijzijnde bierkar.

In de eersteklas coupés staan gebloemde theepotten en -kopjes op de tafeltjes voor het raam. De restauratiewagon lijkt op een rijdend bordeel. Op de tafels rusten rode lampjes die de coupé in rood schijnsel hullen, voor de ramen zijn goedkope rode gordijnen gedrapeerd. Achter een campingklaptafeltje met een geborduurd wit kleedje posteert een jonge butler. Op de tafel staan enkele flessen sterkedrank zorgvuldig uitgestald.

De trein zet zich in beweging. De restauratiewagon stroomt langzaam vol, schuin tegenover me, aan de andere kant van het gangpad nemen twee mannen plaats met zwarte leren jacks, zwarte coltruien, gouden kettingen en mobiele telefoons aan hun riem gegespt. Terwijl de een uitgebreid telefoneert, bekijkt de ander de kaart en laat de butler om de beurt de flessen sterkedrank naar hun tafeltje brengen. De butler houdt de flessen sacraal een tikje schuin, zodat de man in het zwart de etiketten kan bestuderen. Hij keurt de een na de andere fles af en laat uiteindelijk twee grote groene flessen Heineken brengen. De mannen behandelen het bier alsof het een grand cru uit 1968 is. De flessen mogen door de ober, die met de opener naast de tafel staat, pas geopend worden nadat de tweede man uitgetelefoneerd is en met een kort knikje aangeeft dat het kan. Ik kan niet tot een besluit komen of dit nu Russische societykappers, art-directors of hit-men zijn.

Ik eet iets terwijl de trein over eindeloze vlaktes met dennenbomen rijdt. Tegenover me zit Julia. Ze komt uit Kazachstan en werkt bij een bank in Moskou, maar eigenlijk wil ze jazzzangeres worden. 'De Russen hebben een groot mystiek hart en gevoel voor cultuur. Als ik de prachtige paleizen in Sint-Petersburg zie, dan ben ik blij en gelukkig, dan denk ik: een volk dat zulke paleizen, zulke mooie literatuur heeft voortgebracht, daar moet een toekomst voor zijn.

Weet je, de meeste buitenlanders begrijpen niets van de Russen, niets! Daar kan ik me zo kwaad over maken. Die denken dat wij lui en slordig zijn. Laatst, op kantoor, moesten dozen versjouwd worden. Ik vroeg hulp aan twee mannelijke collega's, een Amerikaan en een Engelsman, die koffie zaten te drinken. Ze bleven gewoon zitten en zeiden: "Is er niemand anders in de buurt?" Ik was perplex. Die reactie! Een Russische man zou zoiets nooit doen. Nooit! Het feminisme van de Amerikaanse vrouw heeft de Amerikaanse man verpest.'

'En de Russische vrouw, is die niet feministisch?' vraag ik.

'Nee! Die is heel traditioneel, het gezin is

alles voor haar. Ze wil trouwen en kinderen.
Dat is het aller-allerbelangrijkste in het leven.'

'Ken je de Hungry Duck Bar?'

Ze kijkt me aan met een blik alsof ze per
ongeluk een vlieg heeft doorgeslikt; 'De
Hungry Duck? Met dat dansen op de bar en
zo?' Ze neemt een hap kaviaar en slikt die
eerst rustig door. 'Ja.'

'Daar ben ik gisteravond geweest, wat een
plek!'

Ik ben amper vierentwintig uur in Rusland
en ik ben al klaar om te emigreren. Julia neemt
nog een hap kaviaar.

'Ik kom terug naar die stad, dat is een ding
dat zeker is. Wat een passie!'

Dat is wat je in Moskou voelt: de passie, de
anarchie, de chaos, het dansen op de rand van
de vulkaan.

'Hou op. Al die verwende Moskouse mormels.
De Hungry Duck is Rusland niet. Dat is je reinste
Americana.'

Ik kijk haar aan en haal vragend mijn
schouders op. Hoezo?

'Die eigenaar is een Canadees. Het enige
Russische aan de Hungry Duck zijn de
protectiegelden die hij moet betalen: drie à
vier ton jaarlijks.'

Ik ga vroeg naar mijn couchette, een droom
armer. Ik ben nog totaal niet doorgedrongen
tot het hart van dit land. De couchette is
bedompt. Ik lig in het bovenste bed. Het is te
kort. Ik deel het compartiment met een vader
en zoon. Het jongetje heeft zijn pyjama aan.
Zijn vader stopt hem in en gaat dan voorlezen.
Het jongetje zit rechtop, geconcentreerd, een
en al aandacht. Ik begrijp niet wat de vader
leest maar hij leest mooi voor, zwaar, een

beetje monotoon. Wat een geborgenheid, de
vaderstem die voorleest. En hij stopt ook niet.
Ik word loom en laat me meevoeren door de
stroom van onbekende klanken. Hij blijft
lezen en lezen. Wel drie kwartier of een uur,
terwijl de trein voortraast. Wat een geweldige
vader, denk ik.

Gate-crashen bij de tsaar

Ik was in Moskou en logeerde in een paleis.
's Morgens werd ik gewekt door het lichte
knarsen van grind dat aangeharkt werd. Een
heerlijk geluid. Het was zomer, maar de zon
scheen niet echt. Tsaar Nicolaas II zou die week
op vrijdagochtend in Sint-Petersburg her-
begraven worden. In de kranten en op televisie
werd voortdurend gediscussieerd en ruzie
gemaakt over de gevonden botten. Ik liep al
een tijd rond met een idee voor een film over
de Romanovs, echte en vermeende. Ik hou van
de heimwee en van wat had kúnnen zijn. De
dromen van bannelingen. Nu had ik een kans
een glimp van de over de wereld verspreide
Romanov-familie op te vangen.

Het echtpaar bij wie ik logeerde, was uitgenodigd voor de begrafenis. Ze vertelden dat
de plechtigheid in een kerk binnen de muren
van een fort zou plaatsvinden. De familie
van Nicolaas II, het corps diplomatique en
afgevaardigden van de Russisch-orthodoxe
Kerk waren uitgenodigd. Me als invité opdringen
was geen optie: bij het pakken van mijn reis-
bagage had ik geen rekening gehouden met
begrafenissen. Het beste dat ik bij me had,
was een lichtgrijs zomerpak. Incognito, door
de achterdeur, op goed geluk me in het
gezelschap mengen leek het enige dat erop zat.

Het was inmiddels donderdag. Nog minder
dan een etmaal en de laatste tsaar aller Russen
werd bijgezet. Ik nam een taxi naar het
Leningrad Station. Iedere dag rond midder-

nacht vertrekken er uit Moskou vlak na elkaar zes lange treinen die er acht uur over doen om Sint-Petersburg te bereiken. Buiten het station stonden kraampjes en karren met bier, water en broodjes met worst. Dronken mannen in lompen lurkten aan bierflesjes. Mariniers passeerden in ganzenmars. Moeders met vol-gestouwde kinderwagens probeerden hun kinderen bij zich te houden. Ik kocht een kaartje naar Sint-Petersburg en liep het perron op. De zes treinen stonden gebroederlijk naast elkaar te trillen in het blauwige licht van de nacht. In sommige coupés waren de gordijntjes al dicht en viel nog net een streep licht naar buiten. Andere coupés waren leeg. Een rilling van opwinding en avontuur sloeg door me heen. Sinds ik jaren geleden drie bouillonblokjes achter elkaar in een pan kokend water gooide en ze op elkaar bleven balanceren tot ze opgelost waren, ben ik bij-gelovig. De bouillonblokjes gaven me honderd procent zekerheid dat de geliefde die mij verlaten had spoedig zou terugkeren.

Ik toonde mijn kaartje aan een vrouw in een donkerblauw uniform met lange blonde haren en toen ze zonder me aan te kijken met een ruk van haar hoofd wenkte dat ik in kon stappen, had ik zin om haar op haar kont te slaan, zo verheugd was ik dat ik mee mocht. Ze deed me aan een croupier denken. Heel even, terwijl ik de treeplank opstapte, voelde het alsof dit de keizerlijke trein was, uitsluitend voor de intimi van de tsaar. Maar dat gevoel verdween ogenblikkelijk in de nauwe hal, waar een zuurstofarme damp hing, en tussen de serie schuifdeuren, die nadat ik ze opengerukt had onmiddellijk weer dicht wilden om mij niet te laten passeren. En voor zover ik nog dromen had: de couchette deelde ik met drie zware, uit al hun poriën zwetende handelsreizigers.

Ik ging naar de restauratiewagon, bestelde 100 gram wodka en staarde voor me uit. Het was op de dag af tachtig jaar geleden, 17 juli 1918, dat tsaar Nicolaas II in Jekaterinburg vermoord werd. Samen met zijn vrouw, zoon, vier dochters en enkele bedienden werd hij rond middernacht gewekt met het verhaal dat zij geëvacueerd zouden worden. Ze werden naar de kelder van het huisarrest-huis gevoerd en moesten bij elkaar gaan zitten omdat er voor vertrek een foto van hen gemaakt ging worden. In de plaats van een fotograaf kwam er een executiepeloton de kelder in gemarcheerd. Een deel van het gezin werd niet dodelijk getroffen en moest met bajonetten worden afgemaakt. Het hondje van de tsarevitsj werd doodgeschopt. Nadat de gezichten van de gezinsleden met zoutzuur bewerkt waren, werden de lijken in een moeras gedumpt.

De restauratiewagon stroomde langzaam vol. Een jongen en een meisje met ieder een leren tas bij zich betraden de wagon. Het meisje leek op de met koffers zeulende emigrante uit de film *Down by Law* van Jim Jarmusch, de jongen op John Lennon. Ze bleven midden in de wagon staan, alle tafels waren inmiddels bezet. Ze moesten overeenstemming bereiken waar ze zouden aanschuiven. De jongen stapte richting twee zwart geklede mannen, gangsters of doodgravers, het meisje keek naar mij. Gewoonlijk komen er alleen maar bejaarden bij me zitten die hun gebit ter inspectie uitnemen. Ze zegen tegenover me neer en bestelden wodka en kaviaar. Ze fluisterden als verliefden. Ik verdiepte me in *Hadzji Murat* van Tolstoj, luisterde hen af en sloeg voor de vorm af en toe een bladzijde om. Nog steeds was het me volkomen onduidelijk hoe ik de plechtigheid - onuitgenodigd - ging bijwonen. In gedachten zag ik mezelf ergens over een muur klimmen, een tuinman omkopen. Ik hoorde de John Lennon-look-alike zeggen: 'I asked him what he would choose if he had to choose. He answered: "The funeral - but what if the music is bad?"'

Met niet te onderdrukken enthousiasme boog ik over mijn boek naar hen toe en vroeg: 'Are you talking about the funeral?!' Ze keken geschrokken naar me op en knikten. Ik wenkte de butler.

Het waren een Russin en een Ier, die voor *The Moscow Times* werkten. Ze waren geaccrediteerd voor de begrafenis! Ik schonk mijn karafje leeg in de glazen en bestelde nieuwe karafjes. We dronken op de tsaar. Het meisje sloeg de wodka in één keer achterover. We dronken op het Russische volk. We dronken op de zielenrust van de Romanovs. We dronken op Rusland. We dronken op Tolstoj. We dronken op The Beatles. Geheel geassimileerd - 100 gram is geen wodka - bestelde ik karaf na karaf. Jeltsin zou na lang dubben toch naar de begrafenis komen, vertelden ze. Dat verkleinde mijn kans om door een wc-raampje de kerk in te klimmen aanzienlijk. De geloofsbrieven waren al weken geleden door hun hoofdredactie aangevraagd. Tot dat moment had ik me de begrafenis nog steeds voorgesteld zoals ik begrafenissen ken: een park met statige bomen, een langwerpig gat, een berg zand, een kist en een groep mensen in donkergrijze en zwarte kleren eromheen, de gezichten naar de grond gebogen, die langzamer lopen dan gewoonlijk. Misschien een enkele fotograaf of politieman op respectvolle afstand. Maar deze voorstelling was waarschijnlijk toch wat provinciaal. Om drie uur 's nachts sprongen de tl-lichten in de restauratiecoupé aan. We waren de laatste drie klanten. Met veel kabaal werden glazen, flessen, asbakken afgevoerd.

Dronken rolden en schudden we door het gangpad naar onze couchettes en beloofden plechtig elkaar over enkele uren op het perron te treffen. Met de overmoed der dronkaards zeiden zij me een accreditatie te bezorgen. De wodka zakte naar mijn voeten en ineens wist ik het niet meer zo zeker. Dat die verdomde Jeltsin zich bedacht had! Ik was te optimistisch geweest. Ik had het onderschat. In het buitenland leek alles mogelijk. Toen ik door Afrika reisde dacht ik midden in de jungle een dikke negerprinses te trouwen en op een uit baobabboom gesneden troon te eindigen. Was dat uitgekomen? Nee. Had ik zelfs maar een negerprinses gezíen? Nee. Van achteren kun je een koe in het gat zien, maar had ik hier iets van geleerd? Nee. Ik kroop onder de kriebelende deken en had een droom over een naakte man die een hoog Heras-hekwerk met drie strengen prikkeldraad beklom en bovenin verstrikt raakte. Die man was ik.

Het was een prachtige ochtend in Sint-Petersburg. 'I would love such weather on my funeral,' zei de Ier. Ik had nog geen vier uur geslapen, maar voelde me fris als een hoentje. We namen een taxi naar hun hotel, om daar te ontbijten en de bagage af te gooien, daarna zou ik met hen meegaan naar het perscentrum. Hotel Astoria, midden in het centrum aan de Bolsjaja Morskaja, bleek hun hotel. Bij de deur stonden portiers in lange rode jassen met gouden tressen. In de ontbijtzaal hing een aankondiging voor een Romanov-diner diezelfde avond in de eetzaal van het Astoria, waar tegen betaling aan deelgenomen kon worden. Misschien zou daar wel wat familie opduiken!

Na het ontbijt reserveerde ik voor dat diner en belde in de witmarmeren lobby het Sint-Petersburgse stadsbestuur, in de hoop mezelf op de valreep naar binnen te bluffen. 'If you hadn't killed the poor man, he sure would have invited me,' leek me een waterdichte argumentatie. Er werd niet opgenomen. Achter mij in de lobby verzamelden zich ondertussen steeds meer mensen in keurige donkere pakken. Een zeldzaamheid in het Oostblok. De meesten die zich iets kunnen permitteren, willen dat het schittert. Uit mijn ooghoek bekeek ik hen terwijl ik keer op keer het nummer van het stadsbestuur bleef intoetsen. Pas toen ik een grote man bij de deur met een microfoontje en oordopje speurend om zich heen zag kijken, begon het mij te dagen: de Romanovs! Ik stond midden tussen de Romanovs!

Ik bevond me in het hart van een historische familiereünie. Sinds de oktoberrevolutie waren er nimmer meer zo veel levende Romanovs in Sint-Petersburg geweest. Volgens de opgewonden berichten in de kranten zouden er vierenvijftig komen. Fragiele grijsaards met gedistingeerde koppen vielen elkaar in de armen. Mannen begroetten vrouwen met sierlijke handkussen. Ik keerde me naar het gezelschap en bleef met de hoorn in de hand het nummer herhalen. Aan de periferie stonden enkele familieleden die ik inschatte als de Texaanse tak van de familie, mannen met paardenstaarten en antracietkleurige pakken die nu een bowlingbaan in Austin runden. Oorbellen en wenkbrauwpiercings hadden ze voor de gelegenheid thuisgelaten. In de Amerikaanse hoek had ik niet gedetoneerd in mijn lichtgrijze zomerpak, maar ik had een legerbroek aan en een grijs shirtje. Er was geen mogelijkheid alsnog tussen de familie te gaan staan en de verre verlegen neef uit te hangen. Van de societypagina's van Engelse tijdschriften herkende ik enkele playboy-prinsen met goeie koppen en makkelijke glimlach. Er was een aantal erg mooie, jonge vrouwen met grote hoeden. Ook liepen er oude dametjes in Wibra-rouwjurken. Een zwarte reus in een krijtstreep stond midden in het gezelschap en speurde om zich heen. Er heerste een ietwat gespannen stemming, maar er werd beduidend meer gelachen dan bij de gemiddelde begrafenis. Slechts een enkeling was direct emotioneel begaan met Nicolaas II.

Limousines reden voor. Cameraploegen en fotografen wachtten buiten. Bodyguards keken zijwaarts. De twee journalisten van *The Moscow Times* voegden zich bij me. 'Did you notice there's a black Romanov?' Per taxi spoedden we ons langs de breed stromende Neva naar het perscentrum. Bij de poort van het perscentrum posteerden militairen: een speciale pas was vereist. Al lopend stak ik mijn visum met een gestrekte arm naar voren zoals ik dat van Amerikaanse films geleerd had. Het werkte.

Het perscentrum was gevestigd in een paleis aan de Neva dat ooit voor een van de minnaars van Catharina de Grote was gebouwd. Brede, roodmarmeren trappen leidden naar een grote zaal waar correspondenten achter computers zaten te zwoegen. Bij de ingang bevond zich een lange tafel met daarachter een dame, type strenge schoolfrik, tegenover wie ik plaats moest nemen. Ze sprak geen woord Engels of Duits. Een klein meisje, dat nog geen vijftien kon zijn, werd erbij geroepen. Zij was de tolk. Ik deelde mee dat ik een accreditatie nodig had. Het meisje lachte en wenkte me naar een tafel in de hoek van de zaal.

Uit een dossierkast haalde ze een papier, schoof dat samen met een blanco vel papier heimelijk onder mijn neus, gebaarde dat ik het over moest schrijven en fluisterde: 'Wait for me.' Het document dat ze gegeven had, was een getypte brief van een Engelse krant gericht aan de president van het perscentrum waarin in beleefde termen een geloofsbrief werd aangevraagd. Ik zag dat de president van het perscentrum dezelfde initialen als ik had. Met grote krulletters noteerde ik zijn initialen boven aan de bladzijde, ik leefde me er zo op uit dat het resultaat wel wat weg had van de tweekoppige adelaar, het wapen van de Romanovs. Eindelijk dan bij de begrafenis van de laatste tsaar aller Russen kwam mijn talent voor kalligrafie tot volle bloei. Ik schreef de brief over en vulde een vertrouwen inboezemend dagblad als mijn opdrachtgever in. Onder aan de bladzijde onder mijn eigen naam, met iets bescheidener hand, plaatste ik nog eens de initialen, J.S.

Het kleine, lieve meisje kwam het papier bij me ophalen en gaf het aan de schoolfrik. De schoolfrik stond vermoeid op en verdween door een deur naar een aan het oog onttrokken kantoortje. Ik stelde mij voor dat de president van het perscentrum er dikke havanna's zat te roken. Ik liep naar de televisie: nog eens werden de beelden herhaald van de halfronde glazen vitrinekasten in Jekaterinburg met de botjes van de tsaar en zijn gezin, voordat ze naar Sint-Petersburg werden overgevlogen. Terwijl het vliegtuig met de resten in Sint-Petersburg landde, trok het meisje me aan mijn mouw. Ze nam me mee naar een video-camera en liet me plaatsnemen. Een kwartier later was er een prachtige geplastificeerde kaart met mijn dikke kop in fullcolour:

Japp Scholten
NRC Adelsblad

De zon scheen over de Neva. Politieboten tuften patrouillerend rond. In de verte lag de vesting. Auto's met sirenes en zwart geblindeerde ramen vlogen langszij. Op de afgegrendelde brug die naar het eiland voerde werden we uitgebreid gecontroleerd. Buiten de dranghekken stonden keurig geklede mannen schuimbekkend te claimen dat ze Romanovs waren. Zonder persaccreditatie of langwerpige uitnodigingskaart was je nergens. Zelfs de vierenvijftig echte Romanovs moesten door een smalle metaaldetector en twee controles. Een helikopter hing boven het eiland. Elitetroepen in camouflage-outfit grendelden alles af. Achter op hun rug stond in zwarte letters OMOH, maar ze zagen er niet uit als omoh's. Afgetraind en gedisciplineerd, de eigen eenheid van Jeltsin: uitrusting en soldij piekfijn voor elkaar. Bij roadblocks in Centraal- en Oost-Europa, heeft

iemand mij geleerd, moet je altijd eerst naar
de schoenen van de militairen kijken. Als
ze gympies dragen, doe je er verstandig aan
precies te doen wat ze je zeggen. Vanuit de
kerktoren hielden mannen met zonnebrillen
het plein in de gaten. De pers werd buiten
de kerk achter hekken gehouden. Met behulp
van aluminium trappetjes probeerden
honderden fotografen en cameramannen over
elkaar heen te klimmen. Naast de kerk stond
een stellage met negen televisies die tezamen
een vaal beeld gaven van wat zich binnen
afspeelde.

Het was bloedheet op het plein. Ik kon
geen woord verstaan van wat de priesters
zeiden. Officieel hoort de begrafenisceremonie
voor een tsaar langer te duren dan de paasmis,
die op zich al een uur of vier duurt, maar deze
zou, goddank, korter zijn, enerzijds omdat
hij geen tsaar meer was (nu niet, maar op het
moment van sterven ook al niet meer),
anderzijds omdat de familie de ceremonie
bescheiden wilde houden. Daarbij kwam dat
Jeltsin ook niet zo lang kon staan (in de orthodoxe
Kerk staat men tijdens de dienst). Terwijl ik
buiten rondhing, vroeg ik me af wat ik daar
eigenlijk deed. Af en toe kwam er iemand
de kerk uit om in de deuropening een sigaretje
te roken.

Er waren twee soorten genodigden: de
A-klasse ín de kerk en de B-klasse buiten
op het plein, op een betere plek dan de pers.
De B-klasse-genodigden mochten pas de
kerk in nadat Jeltsin vertrokken was, maar vóór
de pers. In de B-klasse herkende ik enkele
oudjes van de familiereünie eerder die ochtend
in het Astoria. Wij, de pers, waren door middel

van een door omoh's en veiligheidsmensen in burger bewaakt dranghek gescheiden van de B-klassers. Op hun deel van het plein waren twee fleurige dranktenten opgezet. Aan mijn kant probeerde de in zwarte slobbertruien geklede pers elkaar met elleboogjes bij het dranghek aan de kerkzijde weg te houden. Op het aanpalende deel van het plein was de stemming van een hoger dorpstombolagehalte. Sommige begrafenisgangers concentreerden zich volledig op de bar. Na anderhalf uur verlieten twee genodigden uit het B-vak de vesting. Ik volgde hen tot buiten het zicht van de menigte.

'Sir, sir! You 're leaving? Can I please have your invitation?'

De man stopte en nam me op of ik een terrorist was.

'Sorry sir, no possible. Zoeveneer!'

Hij hield zijn kaart omhoog, de gouden letters schitterden in de zon. Toen verzachtte zich zijn blik, hij wenkte de vrouw en vroeg haar iets. De vrouw haalde haar schouders op, bekeek mij en viste de witte, langwerpige kaart met goudkleurige, cyrillische cursieven te voorschijn. Ze was eigenlijk behoorlijk mooi. Ze stond heel rechtop, trots en had dik blond haar. Was dit zijn vrouw wel? Ze was veel jonger. Maîtresse? Dochter? Ik deed een stapje terug. Ze lachte naar me en sloeg haar oogleden kuis neer. Dochter! Ze gaf me haar kaart. Ik pakte haar hand, boog voorover en gaf haar een hand-kus zoals ik enkele uren eerder de Romanovs in de lobby van Astoria had zien doen.

'What's your name?'

Weer sloeg ze haar ogen neer en zei zacht: 'Olga.'

Ze zei het als Ol-kaa.

De man vond dat het lang genoeg had ge-
duurd, pakte de schoonheid bij de arm en liep
met haar weg, nog eens met zijn eigen kaart
hoog in de lucht wapperend: 'Zoeveneer!'

'Thank you Olga!' riep ik hen na.

Ik danste terug. Als een hedendaagse
Raspoetin drong ik dankzij de vrouwen door
tot de tsaar. Olga! Ol-kaa! Toen zag ik de
honderden journalisten weer bij het hek
elkaar verdringen. Ik stopte met huppelen. Met
een stevige tred en norse blik, alsof ik iemand
was die helemaal geen tijd had voor controle-
onzin, begaf ik mij naar het volgende
checkpoint - ik werd niet in elkaar geslagen,
maar doorgelaten - en nam daarmee de laatste
horde naar de kerk.

Er wordt gezegd dat Nicolaas II een slappe
tsaar was, maar een lieve vader en familieman
- gelovig tot in het fatalistische. Zoals veel
mensen was hij niet losgekomen van zijn vader
en van wat zijn vader wilde, zelfs niet toen
die vader al lang dood was. Dat was hem fataal
geworden. Zijn ondergang, zich laten afvoeren
naar Jekaterinburg; je kon er een trage suïcide
in zien; een man die zijn hoofd op het hakblok
legt, een man die zich laat offeren voor het
heilige Rusland. Er was veel gediscussieerd
over Nicolaas' herbegrafenis. De patriarch van
de orthodoxe Kerk in Rusland betwijfelde de
authenticiteit van de botten en was afwezig.
De aanwezige priesters letten er vooral erg
goed op dat ze de botten niet bij naam noemden.

Enkele Romanovs lieten het afweten.
Belangrijkste afwezige was de volslanke,
zeventienjarige prins George Hohenzollern-
Romanov, die door zijn moeder en grootmoeder
naar voren wordt geduwd als officiële troon-

pretendent. In een documentaire zag je hem aan de Costa Brava. Zijn moeder, die grote plannen met hem had, zei: 'Ga schelpen zoeken.' En hij ging schelpen zoeken. Moeder en grootmoeder hadden voor deze initiatiefrijke jongen vooraan in de kerk een apart podiumpje geëist, wat tot hun ongenoegen geweigerd was.

Jeltsin legde zijn hand op zijn hart en boog zijn hoofd voor de doodskisten met de losse verzameling botten. De Romanovs bogen het hoofd en sloegen kruizen toen de kisten van de bedienden en de dochters langs gevoerd werden om bijgezet te worden in de Catharina-kapel. Op het moment dat de kist met de resten van de tsaar opgetild werd, ging de gehele familie Romanov als één man, pfoef, op de knieën. Behalve prins Michael van Kent, achterneef van de Romanovs, die mogelijk niet gewend is door de knieën te gaan voor verre ooms. Hij leek trouwens wel veel op Nicolaas II: gedistingeerde kop en goed onder-houden baard en snor. *Chef de famille*, Nicholas Romanov, die Michael flankeerde bleef, waarschijnlijk uit beleefdheid, ook staan. Een van de celebrerende priesters toverde een fototoestel onder zijn kazuifel te voorschijn en begon foto's te nemen.

Het graf van de tsaar heb ik eigenlijk niet heel goed bekeken. Het was van marmer of van gemarmerd spaanplaat, met gouden letters of gouden plakletters. Het was niet heel uitbundig. Niet zoals de tombe van Napoleon. Het was redelijk bescheiden. Toen het mijn beurt was de laatste tsaar een laatste groet te brengen en ik mijn hoofd boog uit eerbied voor de op hun knieën vallende ouderen om mij heen, die zichtbaar geëmotioneerd waren, bemerkte ik dat mijn hart leeg was en het besef bij een historische gebeurtenis aanwezig te zijn was vervaagd. Het was meer alsof ik in een rommelige vestiaire zonder garderobe-juffrouwen in de schouwburg van een onbekende stad beland was en mijn jas niet kwijt kon. Ik voelde me een voyeur en te veel. Snel schoof ik voorbij het graf, om plaats te maken voor mensen voor wie het belangrijk was, naar buiten, het volle zonlicht in.

Ik keerde terug naar Hotel Astoria voor het gereserveerde Romanov-diner met onder meer Trilogy of Caviar Served with Blinis and Traditional Garnish, Kulibliak of Volga Sturgeon en Filet Stroganoff with Mustard Sauce. De menukaart had me misschien moeten waarschuwen: heel sophisticated waren de tafelgenoten niet. Mijn laatste geld bleek ik gespendeerd te hebben om tussen de lokale maffia te belanden. Veel goud, grote mannen met zware koppen en vrouwen met benen die tot aan hun boezem doorliepen. Gekleed in opzichtig witte, lichtblauwe en gele pakken en stretchjurkjes propten zij de exquise gerechten naar binnen. Mijn tafeldame vertelde dat in Rusland de opvatting wijdverbreid is dat een ziel aan het lichaam geketend blijft totdat het lichaam ritueel begraven is. Omdat tsaar Nicolaas II tot dusver niet in gewijde grond begraven lag, maar tussen wat planken onder een brug in een zompig moeras, was zijn ziel tachtig jaar geketend geweest.

Terwijl ik de Strawberries Romanov lepelde en luisterde, keek ik omhoog, naar de enorme kroonluchter boven ons, die zachtjes leek te schudden en te tinkelen.

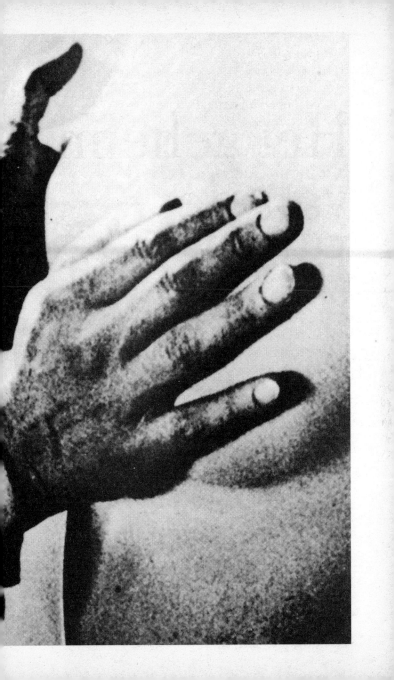

Het geheim van de Residencia

Ik leun achterover in de zachte vliegtuigstoel en meng witte wijn en sodawater. Een Buñuel-martini zat er in de *tourist class* niet in. Een dry martini naar Buñuels recept vertoont overeenkomst met de onbevlekte ontvangenis van de maagd Maria. De Noilly-Prat moet door de gin dringen als de voortplantingskracht van de heilige geest door het maagdenvlies: 'Als de zonnestraal door een ruit.' Ik ben op weg naar de Residencia de Estudiantes in Madrid, waar Luis Buñuel, Féderico García Lorca en Salvador Dalí tijdens hun studie samenwoonden; de beroemdste filmer, de beroemdste dichter en de op één na beroemdste schilder van Spanje in één studentenhuis.

Aan de publiciteitsmevrouw van de Residencia heb ik gevraagd of er nog een tuinman of kokkin in leven was die hen had meegemaakt. *No se señor.* Maar er bleek één kroongetuige traceerbaar: José Bello, oud-Residenciabewoner. De pr-dame was opgetogen als een jarig kind; de zesennegentigjarige Bello was bereid me te spreken. Hij werd Pepín genoemd. Pepín Bello. Een naam voor een circusclown. Even dacht ik dat deze Bello de lokale VVV-attractie was die voor iedere vage buitenlander van stal werd gehaald, maar een tweede fax van de publiciteitsdame zette me op scherp: 'José Bello was een van de beste vrienden van Féderico García Lorca en Buñuel. Dalí kwam later. Na een tijdje raakten de vier goed bevriend met elkaar. Ze waren hier altijd samen en gingen samen naar het café. Ieder van hen ontwikkelde zijn eigen specialisme behalve José Bello. Maar hij was degene van wie veel ideeën kwamen uit die periode, zoals het door Buñuel gebruikte beeld van de dode ezels.'

De zakenman naast me heeft een puntige wrat op zijn achterhoofd. Was die er net ook al? Of is die gegroeid terwijl ik zat te dagdromen? Ik heb zin om eraan te trekken - om te zien of hij echt is - maar vrees de veerkracht van het ding. De vliegtuigwielen raken de grond. Een applaus ruist door de romp. We drommen naar de uitgang. De wrat gaat me voor.

Jaren geleden sliep ik een nacht in een kartonnen doos in een Londens struikgewas. Ik was liftend en zwartrijdend met de trein op weg van Schotland naar Rotterdam. De kartonnen doos isoleerde matig, de kou drong tot diep in mijn botten. We, ik en mijn drie boezemvrienden, kotsten op de ambitie van yuppies en op de pathetiek van punkers. We hoorden nergens bij en reisden door Europa. Amfetaminegebruik werd heel soms, hilarisch genoeg, onderstreept door een zwart lijntje onder het oog. Niet dat ik heimelijk verliefd was op Boy George - die kon ogenblikkelijk de brandstapel op - maar sinds lezing van *Reis naar het einde van de nacht* stond ik onder invloed van Louis-Ferdinand Céline en was van mening dat mijn gitzwarte mensbeeld niet genoeg benadrukt kon worden. Totdat ik die ochtend in Rupert Street in Londen om warm te worden de Metro-bioscoop binnenglipte en achter elkaar Buñuels eerste twee films zag: *Un chien andalou* en *L'âge d'or*.

Un chien andalou (1929) ontstond uit de

ontmoeting van een droom van Dalí en een droom van Buñuel. Ze schreven de film samen in minder dan een week tijd. Ze noteerden alleen invallen en beelden die ze niet rationeel konden verklaren. 'Het werd een week van volkomen identificatie,' zei Buñuel over de samenwerking. Buñuels moeder financierde de film en heeft naar eigen zeggen nooit het resultaat gezien. De film veroorzaakte het nodige rumoer en zorgde ervoor dat Buñuel in de armen werd gesloten door de Parijse surrealisten.

Zijn tweede film, *L'âge d'or* (1930), schreef Buñuel alleen en werd gefinancierd door vicomte de Noailles, een bekende Parijse mecenas (zijn echtgenote was een rechtstreekse afstammeling van markies de Sade, een detail dat Buñuel, als hij het geweten heeft, moet hebben bevallen). In de film zaten een paar ideeën van Dalí. De film werd door Buñuel samengevat als 'een oproep tot moord'. Deze frontale aanval op de goede smaak en de gegoede burgerij werd hét schandaal van het jaar. Actievoerders van het ultrarechtse Action Française gooiden flessen met inkt tegen het filmdoek, schoten pistolen leeg, ranselden de toeschouwers af en braken de bioscoop Studio 28 af. De film werd verboden door de Parijse commissaris van politie (een verbod dat vijftig jaar standhield) en alle kopieën werden in beslag genomen en vernietigd, behalve een exemplaar dat in de kluis bij de Noailles lag. Charles de Noailles verloor zijn halve vriendenkring en werd uit de prestigieuze Jockey Club gegooid, waar hij nota bene president van was geweest. Bij de besloten première die Charles en Marie-Laure de Noailles

organiseerden stonden zij verheugd bij de deur
om prins en prinses zus en zo en de rest van
de Parijse beau monde te ontvangen. Na de
vertoning was de stemming omgeslagen en
verliet het leeuwendeel der gasten haastig de
bioscoop, zonder nog een woord met de
gastheer te wisselen. Moeder Noailles moest
naar Rome reizen om te verhinderen dat de
paus haar zoon zou excommuniceren vanwege
L'âge d'or.

Buñuel over *L'âge d'or*; 'Een film over
bezeten liefde, over een onweerstaanbare
drang die, wat de omstandigheden ook zijn, een
man en vrouw naar elkaar drijft zonder dat ze
zich ooit verenigen.' Meer dan een halve eeuw
later onderging ik in Londen de overrompelende
anarchistische kracht van beide films.
Gerevitaliseerd verliet ik de Metro-bioscoop.
Don Buñuel, mijn nieuwe goeroe. De levens-
lustige anarchie, de ongeremde haat en liefde
die uit alles sprak, maakte me los van Célines
cynisme. Het lezen van *Mijn laatste snik*, de
autobiografie van Buñuel, bevrijdde me
definitief van de zwarte magie van die
voodoo-priester uit Courbevoie.

Ik loop over de zonovergoten Paseo de la
Castellana en sla rechtsaf, de heuvel op.
Endorfine wordt in grote hoeveelheden in mijn
hersenschors vrijgemaakt. Zo meteen zie ik de
Residencia en straks een van de vrienden van
Buñuel. Aan het eind van de middag zal
Bello, de vierde musketier van de Residencia,
verschijnen. In de Calle de Pinar lazer
ik zowat in een bouwput. Een achteloos bruin
emaillen bord geeft aan dat ik er ben. De
polsdikke boompjes van de zwart-witfoto's
zijn grote kastanjes geworden.

In de hal tref ik de publiciteitsmevrouw. Ze is hoogzwanger en is al een beetje bevangen van die op het gelaat bevroren gelukzalige glimlach van het geheime genootschap van jonge moeders. Ze troont me mee door de gerenoveerde bibliotheek en de nieuwe collegezalen. De kamers van Buñuel, Dalí en Lorca zijn gesloopt en worden opnieuw opgebouwd. Gelaten streel ik de vers gestuukte muren. We klimmen in de toren en kijken uit over Madrid.

Het wachten is op Pepín Bello. Hij heeft nadrukkelijk laten weten niet voor vijf uur 's middags voor wat dan ook beschikbaar te zijn. Op de foto's uit zijn studententijd is het een knappe man met een heersersblik, immer strak in het pak met een wit pochet. Op vrijwel elke foto is hij beter gekleed, mondainer en zelfverzekerder dan zijn drie beroemde vrienden. Op het arrogante af. Op een foto van een uitstapje met de Orde van Toledo oogt Buñuel precies als de Aragonese lomperik voor wie zijn vrienden hem uitmaakten. Dalí kijkt wazig, alsof de pijp die hij rookt gevuld is met gele libanon. Maar Bello priemt recht de lens in, als de baas van het spul. En dat was hij ook in die tijd. Neem dit onbeholpen, kruiperige briefkaartje van Lorca en Dalí aan Pepín: 'Morgen zullen we jou schrijven... maar omdat we vandaag "iedereen" een kaartje sturen wil ik niet dat jij zonder komt te zitten. Liefs Féderico en Salvador.'

Ze keken tegen hem op en correspondeerden intensief. Lorca schrijft Pepín in poesie-album-stijl; 'Lieve Pepín, maandagnacht zal ik met de trein aankomen. Ik zal dan niet meer naar je kamer gaan, je hoeft niet voorzichtig te zijn en je vader kan tevreden zijn, want ik

zal je niet meer lastig vallen. Ik vind het erg
jammer dat ik niet bij jou kan wonen. Dag
mijn liefste Pepín. Tot maandag, Féderico.'

De Residencia was alleen voor mannen.
De herenliefde werd in die tijd als een misdaad
beschouwd en ook later, onder Franco, werd
je ervoor in de kerker gesmeten. Van Buñuel
weten we dat hij een onvoorstelbare macho
was, die in de Residenciatijd op de Madrileense
bordelen was aangewezen, die hij prees als 'de
beste van de wereld'. Van de andere drie is het
beeld van de sexuele voorkeur minder helder.

De colleges van Oxford en Cambridge
dienden als hét voorbeeld voor de Residencia,
met name het King's college. De Engelse
kostscholen en colleges leveren al eeuwen
onderhoudende, maar verknipte mannen af. Tot
elkaar veroordeelde jongens hebben de neiging
tot buitenissigheid, waarmee ik excentriciteit
in het algemeen bedoel en niet de sexuele
voorkeur. De eerste directeur van de Residencia,
Alberto Jiménez Fraud, reisde tweemaal
naar Groot-Brittannië om de lesmethodes
te bestuderen. Aan die reisjes dankte de
Residencia het eindeloze theedrinken, de
abonnementen op Engelse tijdschriften, het
sporten (atletiek, voetbal, boksen) en misschien
zelfs wel de liefde voor Buster Keaton. De
excentrieke kameraadschap zoals die in de
Residencia heerste doet Brits aan. Ook de
drang tot verkleden en de travestiet uithangen
zoals Buñuel die had, ken ik in dezelfde
uitbundigheid alleen van Monty Python en
Benny Hill.

Tot aan de oprichting van de Residencia
kon een student van buiten Madrid kiezen
tussen een gore kamer bij een hospita en elke

dag aardappels met erwten of bij de jezuïeten verblijven (die eeuwenlang het monopolie op onderwijs en drukpers bezaten). Toen er in 1910 met de Residencia een plek ontstond waar vrijelijk ideeën konden worden uitgewisseld werkte dat als een hogedrukketel. Een bekende uitspraak van Buñuel is: 'Ik ben een atheïst dankzij God.' Hetzelfde gold voor de Residencia, een uniek eiland in een paapse zee, tot grote hoogte opgestuwd, net als de bordelen, bij gratie van de roomse repressie.

In de hel verlichte gang, die in de nacht ligt als de komkommerkassen bij Lisse, wacht ik tot de taxi met Pepín Bello voorrijdt. Hij ziet er onberispelijk uit, voorzien van een wit pochet, glimmende zwarte schoenen en een wandelstok waarvan het me niet zou verbazen als er een geweer of een degen in verwerkt zit. Hij komt op me toe en schudt me hartelijk de hand. Het verrassende is dat hij tot iets boven mijn navel reikt. Op de oude foto's is hij hooguit een kop kleiner dan Buñuel, die ik in gedachte had als een stevige vent, die op zaterdagavond zo bij de deur van de discotheek Snobisimo kon staan. Maar het waren dwergen.

De zwangere publiciteitsdame, Pepín Bello en ik gaan zitten in een lege kamer met zwarte leren banken en een immense designtafel. Er wordt bier gehaald voor meneer Bello en brandy voor het bezoek. Meneer Bello installeert zich op een van de banken met de wandelstok recht voor zich tussen zijn voeten en beide handen op de knop.

'Toen ik hier kwam, was dit een kale heuvel aan de rand van de stad.' Hij gebaart om zich heen. 'Aan de achterzijde lagen graanvelden en liepen kuddes koeien en schapen met herders.

Ezels stonden vlak voor de ramen te grazen
- surreëel. Later kreeg ik een kamer aan de
voorkant, op de eerste verdieping. Met Féderico
deelde ik daar de beste kamer, ver van de
trappen, dicht bij de badkamers, op het zuiden,
met uitzicht over Madrid.'

Pepín Bello heeft een witte snor en ruikt
lekker. Met zijn zesennegentig jaar heeft hij
niets, helemaal niets, van een *putrefacto*. Dat
wil zeggen, een rottend, desintegrerend stuk
vlees: de weke massa's die in het werk van
Buñuel maar vooral van Dalí een belangrijke
rol spelen. Hij heeft stijl. Dat blijkt uit iedere
beweging. Hij legt de wandelstok terzijde
en schenkt bier uit het flesje in een glas. Er
wordt vaak gezegd dat je van goeden huize
moest komen om surrealist te worden.
Hetzelfde gold voor de Residencia. De papsen
en mamsen Bello, Buñuel, Dalí en Lorca
hadden met elkaar gemeen dat zij tot de
geprivilegieerde groep in het feodale Spanje
hoorden die voldoende geld bezat om hun zonen
te laten studeren en daarbij genoeg vrijheid
van geest om ze niet bij de jezuïeten te stoppen.
Ze kozen de Residencia uit vanwege het
vooruitstrevende karakter of vanwege de
'Engelse opvoeding'. Pepíns vader, Don
Severino Bello de Poëyusan, was directeur
van het Madrileense waterleidingbedrijf en
bouwer van het in die tijd belangrijkste stuw-
meer van Europa, maar had schilder willen
worden. Zijn moeder, Adelina Lasierra Campana,
was een sociale en fantasierijke vrouw van
oude Aragonese adel.

'Dalí leefde op dezelfde gang. Drie of vier
dagen na zijn aankomst stond op een gegeven
moment zijn deur open. Ik zag overal schilderijen

en tekeningen, op het bed, op de grond, en was onder de indruk. Toen hebben we elkaar ontmoet.'

Bello's alibi om op de Residencia te verkeren was een medicijnenstudie. Hij deed geen flikker. Hij zou in al die jaren nooit één enkel tentamen hebben gehaald. Wel brachten Dalí, Lorca en Buñuel zichzelf verwondingen toe, opdat Bello op hen kon experimenteren. Buñuel haalde hem uiteindelijk over met de studie te stoppen. Bello koos niet voor de kunst, terwijl van de vier ouderparen de zijne waarschijnlijk de minste moeite hadden gehad met een artiest als zoon.

'We hadden hier geen ontgroening. Albert Fraud, de directeur, vond dat onwaardig. Dus geen grappen zoals bij militaire en religieuze groepen. We haalden alleen vredelievende, literaire grappen uit. We dronken thee, grote hoeveelheden thee en vonden dingen uit. We maakten anaglyfen. Op het idee daarvoor waren we gekomen door een foto van de oceaan in de *London News* die met een 3D-bril bekeken kon worden. Anaglyfen waren een soort gemeenschappelijke korte gedichten, verrassend en zonder betekenis.'

Veel grappen waren minder literair, maar van het boerse, buñueleske slag en roepen bij mij reminiscenties op aan een zomer die ik doorbracht op een kostschool in Wales. De vindingrijkheid van jongens krijgt binnen de muren van een dergelijk instituut de wind vol in de zeilen. Practical jokes werden gewaardeerd op de Residencia: emmers water in kamers smijten en je als spook verkleden. Af en toe haalden ze ook verfijndere grappen uit: Lorca en Dalí die zich drie dagen zonder eten in een

kamer opsloten en deden alsof ze schipbreu-
kelingen waren en om hulp riepen. Lorca en
Buñuel die opgemaakt en als nonnen verkleed
in de Madrileense tram naar mannen gingen
zitten lonken.

Bello: 'Dalí was net zo asexueel als deze tafel
hier. Vrouw, man of fototoestel, het maakte
hem niet uit. Gala heeft zijn hersens opgegeten,
maar heeft hem aan de andere kant ook
multimiljonair gemaakt. Voordat Dalí Gala
ontmoette, was hij de onwetendste mens
die ik ooit gekend heb. Hij kon nog niet klok-
kijken. Op een keer kwam hij terug van
een weekend thuis in Figueres. Hij had een
prachtig horloge van zijn vader gekregen.
Als iemand aan Dalí vroeg hoe laat het was
antwoordde hij altijd: "Tien over twee."
Altijd, het was altijd tien over twee! Hij wist
niets van geld. Hij wist nog niet dat vijf
peseta's hetzelfde was als één dura. Hij was
heel aardig. De slechte reputatie is gekomen met
Gala. Ze was een heks. Een keer in Cadaqués
heeft Buñuel haar bij de keel gegrepen. Dalí
was bang dat hij haar zou vermoorden.'

De Yoko Ono van de Spaanse surrealisten.
Een van de uitwassen van de Russische
Revolutie: dat Helena Ivanovna Diakonoff, zoals
ze voluit heette, die kant opkwam. Terwijl
kameraad Lenin Spanje tot hét aangewezen land
had benoemd om Rusland in de revolutie te
volgen. Het was er nog ouderwets feodaal en
klerikaal. Dalí verliet Spanje vlak voor de
Burgeroorlog: 'Ik had het voorgevoel dat het
aartsbisschoppen, vleugelpiano's en verrotte
ezels zou gaan regenen.'

'Luis noemden wij de "Inquisidor
bolchevique" of "Communista feudal". Hij was

een beest. Hij hield niet van vrouwen. Hij vond vrouwen niet erg belangrijk. In al die jaren dat ik hem opzocht mocht zijn vrouw nooit bij ons aan tafel komen zitten. Hij heeft haar nooit aan iemand voorgesteld. Ze kwam uit Parijs. Toen zij op een dag een piano had gekocht en er plezier in had daarop te spelen, moest van Buñuel het instrument het huis uit omdat een vrouw niet een passie behoorde te hebben. Haar memoires heten *De herinneringen van zijn kok* of *Herinneringen van een pianoloze vrouw*. Dalí vertelt wel veel leugens in zijn memoires. Trouwens, Lorca en Buñuel konden ook goed liegen.'

Bello heeft diepliggende ogen, een beetje à la Charles Bronson. Volgens mij kan ook hij best aardig liegen. Hij is in ieder geval goed in het op het juiste moment veelbetekenend zwijgen. Hij ruikt sterk naar aftershave. Hij is inmiddels naast mij op de zwartleren bank komen zitten. Als je hem aankijkt weet je het ook niet, zijn ogen verraden hem niet. Ik begin die man echt leuk te vinden.

Bello: 'Ik geloof niet in serieus surrealisme, alleen in humoristisch surrealisme.'

De Spanjaarden hebben meer humor in het surrealisme gebracht, dat valt niet te ontkennen. En de rol van de Residencia met z'n rare 'Britse opvoeding' speelt daarbij een cruciale rol. Zonder de Residencia was het surrealisme misschien wel net zo vervelend en humorloos als het kubisme geworden. Voor het dijenkletsen moest je niet bij de *conducator* André Breton zijn.

Bello: 'Buñuel heeft nooit iets van Breton gelezen. Dat vond hij doodsaai.'

Voordat Buñuel naar Parijs ging - in 1925,

pas nadat zijn moeder hem toestemming had gegeven - vond hij de surrealisten sowieso maar een stelletje homo's. Bello begint over Jack Johnson, de zwarte zwaargewicht wereldkampioen boksen, die naar Madrid was gevlucht en in het Palace Hotel verbleef en tien vrouwen per dag 'zag'. Buñuel trainde soms met hem in de tuin van de Residencia. Buñuel was bokskampioen van Spanje - in het land der blinden is éénoog koning, zoals hijzelf zei.

'Buñuel piste in zijn broek voor Johnson. In San Sebastián gooide Jack Johnson een vrouw uit de tram omdat er geen plaats was. Haar man trok een pistool.'

Bello ziet eruit als een vrolijke generaal. Hij lacht me toe. De witte haren in de pommade, strak achterovergekamd. Zijn ogen twinkelen. Een flirt van zesennegentig jaar oud. Hij leunt achter in de bank. Een man die niet zo nodig iets hoeft te bewijzen. Bello's zusje Adelina zei dat hij het schrijven niet nodig had omdat er sinds zijn jeugd een aura van genialiteit om hem heen hing, waar nooit iemand aan twijfelde. Een genie op zoek naar de schrijver in zichzelf: 'Un genio en busca de autor.'

Bello is bescheiden en houdt zich op de vlakte als ik vraag naar *Un chien andalou*. Hij zegt dat hij ook aan de film heeft meegewerkt, maar verder wil hij er niet over praten. Hij wil nog wel kwijt dat de stank op de set ondraaglijk schijnt te zijn geweest. Na de opnames was Buñuel een week ziek.

Rafael Martinez Nadal, een vriend van Lorca, vertelde met betrekking tot de wereldberoemde proloog van *Un chien andalou* (het oog dat in close-up wordt doorgesneden) dat tijdens een wandeling in de tuin van de

Residencia Pepín een wolk voor de maan zag schuiven en toen zei: 'Kijk, een mes snijdt in een oog.' Pepín Bello, de vader van het allersterkste beeld uit de geschiedenis van de film?!

Ook dichter en oud-Residenciabewoner Rafael Alberti gunt in *Uren met Buñuel* Bello meer eer dan hij zichzelf gunt: *Pepín Bello was een geniale kerel. Hij was heel geestig en gevat en had de ongelooflijkste ideeën. Dat met die ezels en de piano's, veel van die dingen kwamen van Pepín Bello. Dat weet Buñuel ook wel. Pepín Bello had een levendige fantasie en het karakteriseren van iets of iemand als een putrefacto, als iets wat er zo slecht uitzag dat het wel leek alsof het in staat van ontbinding verkeerde, al dat soort dingen waren bijna allemaal ideeën van Pepín. In die tijd begon Dalí geloof ik ook die putrefactos en zo te tekenen: maar degene die het daar toen het meest over had en zijn tijd en leven verdeed met nietsdoen en op straat rondhangen en voor mummie spelen was Pepín Bello. En maar fantaseren...*

De eindeloze gesprekken, de grappen en het theedrinken in slaapkamers en cafés, door Buñuel als leeglopen betiteld, hebben de Gouden Trojka van de Spaanse kunst gevormd, met als grote inspirator annex leidsman Pepín Bello. Hij was niet alleen de koning van de Residencia maar ook de kampioen van het nietsdoen. In een deel van mijn vriendenkring (en ook wel in mij) leeft de overtuiging dat niet-ontdekte kunst superieur is aan ontdekte kunst. Daar zit iets in, in ieder geval de illusie van integriteit. Je hebt kunstenaars die iets willen onderzoeken en je hebt kunstenaars, het merendeel lijkt het, die boven alles aandacht verlangen. Wat dat betreft is Pepín Bello een parel. Op geen enkele manier heeft hij zijn best gedaan ontdekt te worden. Hij is nog een stap verder gegaan, hij heeft zelfs nooit de moeite gedaan iets 'te maken'. Een zenboeddhist, die zich niet in de jungle van het ego en de ijdelheid heeft begeven, voorbij de materie. Picasso zei over Pepín Bello: 'Hij zoekt niet, hij vindt.'

Bello leunt achterover en peutert het etiket van het flesje Cruzcampo Oro om aan te geven dat hij er nog wel een wil. In zijn studententijd was alcohol op de Residencia verboden. Zij vergiftigden zich met thee. Dat wordt nu gecompenseerd. Bello is ontspannen, er is geen vleugje verbittering in de man. Zelfs als hij zegt hoe goed het was, gaat hij niet weemoedig zitten doen. Het is een man die in het moment leeft en geniet dat hij op deze zwarte bank zit en biertjes drinkt en verhalen kan vertellen. Hij woont in Madrid omringd door boeken, foto's en nieuwe vrienden. Een grote verzoening met het leven overvalt mij. De brandy gloeit.

Ik vraag wie van de drie het grootste genie was.

'Lorca,' zegt Bello stellig. 'Lorca was het geniaalst. Dan Dalí. Buñuel was iets minder geniaal, maar wel de vriend van wie ik het meest hield. Een heel, heel goede vriend. De grofste, de irrationele. We hebben altijd met elkaar gecorrespondeerd - en zo veel gelachen. Ik heb zo veel goede herinneringen aan mijn vrienden.'

Op 16 augustus 1936 verbrijzelden de fascisten Lorca's schedel met een geweerkolf, daarna werd hij voor de zekerheid doorzeefd onder een olijfboom, niet ver van Granada. Buñuel stierf als banneling in Mexico een natuurlijke dood op 29 juli 1983, waarschijnlijk een hartaanval, in stilte. Bijtijds had Buñuel de hoop uitgesproken dat alles wat hij had voortgebracht zou worden verbrand en dat het door de wind zou worden meegenomen.

Dalí, inmiddels door koning Juan Carlos in de adelstand verheven, had daar andere ideeën over. Het voor hem op te richten monument kon niet groot genoeg zijn. Hij wilde zich laten uitdrogen en invriezen in de overtuiging dat hij over honderd jaar met enkele druppels water weer tot leven gewekt kon worden. Als hij zou reïncarneren dan uitsluitend als zichzelf. Hij stierf aan hart- en longaandoeningen op 23 januari 1989 na een wervelende show. Dalí, alias markies de Púbol, woog ternauwernood nog vijfendertig kilo. In die laatste jaren dat hij als putrefacto in bed lag en zijn haren liet groeien was een van de weinig verstaanbare zinnen die hij murmelde: 'Mijn vriend García Lorca.'

Bello: 'Nadat Gala doodging was Dalí zichzelf niet meer. Niemand had nog contact met hem.'

Het knarsen van het kunstgebit komt pas na drie uur praten. Drie biertjes later gaan we. Ik begeleid Pepín Bello naar de taxi. Hij geeft me zijn adres en zegt dat ik moet langskomen als ik weer in Madrid ben. Hij schuifelt langs de muur. De Residencia is na Franco heropend en wil sinds enige jaren weer een centrum zijn voor kunstenaars en wetenschappers van de hele wereld. Maar net als de Madrileense bordelen zal het waarschijnlijk nooit meer worden wat het is geweest. Er is te veel keuze mogelijk.

'De tijd zal uitmaken of het hedendaagse

Spanje net zo creatief is als het Spanje van toen.
Ik volg de ontwikkelingen van nu niet. Ik lees
geen actuele literatuur. Ik herlees alleen maar,'
zegt Bello. Hij klimt in de taxi en fluistert me
toe: 'Féderico hield niet van zijn naam, omdat
die niet Spaans was.'

Ik help hem de achterbank op. De armen die
Lorca, Dalí en Buñuel hebben vastgehouden,
pakken mij vast. Hij drukt mij tegen zich aan.
Ik doe hetzelfde, een man om van te houden.
Niet kapot te krijgen. Een gestel als een
Leopardtank. Hij omhelst me nog eens. Even
later verdwijnen de rode achterlichten van de
taxi de heuvel af.

Pepín Bello heeft vooral de anderen
geïnspireerd, zijn ideeën in geniale vrienden
geplant. Hij was en is voor de Residencia wat
de Noilly-Prat is voor een Buñuel-martini.
Als de voortplantingskracht van de heilige
geest is Bello - terwijl hijzelf bij kunstlicht
opgroeide - in het leven en werk van Lorca,
Buñuel en Dalí gedrongen: 'Als een
zonnestraal door een ruit.' Ongrijpbaar, maar
onmisbaar.

Op safari in
Transsylvanië

Op 11 oktober 1989 schoot de Roemeense dictator Nicolae Ceauşescu zijn laatste beer. Hij ligt tussen acht andere in de zitkamer van Ceauşescu's voormalige jachttechnicus in de provincie Mureş : 'Ceauşescu's huid was eerder geprepareerd dan die van de beer.' De conducator heeft niet meer de tijd gehad de beer op te halen. Op 22 december 1989 moest hij Boekarest ontvluchten, een dag na de mislukte toespraak op het balkon van het gebouw van het Centraal Comité. Zelfs de busladingen lethargische, uit de provincie ingereden arbeiders pikten het niet langer. Achter op het plein begon het schreeuwen: 'Timisoara! Moordenaar!' Elena Ceauşescu, die samen met de vaste buddy's van het politbureau naast Nicolae op het balkon stond, siste nog: 'Beloof ze loonsverhoging.' Maar het mocht niet baten. Per helikopter knepen ze ertussenuit. Bij het buitenhuis in Snagov, acht-endertig kilometer ten noorden van Boekarest, werd een tussenstop gemaakt om schone lakens en handdoeken in te laden en twee corpulente politbureauleden uit de helikopter te zetten. De piloot, Elena, Nicolae en één Securitate-lijfwacht met een te klein hoedje vlogen door richting Tirgu Mureş waar Ceauşescu op brede steun rekende. Drie dagen later, eerste kerstdag 1989, werden ze voorgeleid voor het vuurpeloton, niet ver van de plek waar het 'genie van de Karpaten' zijn laatste beer schoot.

Ik zit in de restauratiewagon van de trein
Boekarest - Braşov. Alle ramen zijn gesloten,
de gordijnen zijn voor de helft neergelaten. In
de gang ligt een berg kolen die door de kok
in het fornuis geschept worden. Een oude man
met een lange grijze baard, behangen met
afbeeldingen van heiligen, gaat door het gangpad en krijgt van alle kanten bankbiljetten
toegestopt. Achter ons zegt iemand: 'Das Klima
ist ausgefallen', alsof het zojuist gebeurd is.
De achterdeur van de trein staat wagenwijd
open. De zijdeuren waaien open zodra de
trein harder dan zestig gaat. Zigeunerinnen en
in zichzelf gekeerde Roemenen drinken aan
de tafels Ciucaş-bier. Op de velden wordt de
uitgedroogde aarde met de hak omgewoeld.
Roemenië wordt geteisterd door de grootste
hitte sinds vijftig jaar. Teoctist, de metropoliet
van de Roemeense orthodoxe Kerk, heeft
gebeden om regen.

Het zweet gutst van mijn lichaam. Ik ben
op weg naar Transsylvanië. Ik wil wolven zien
en, in tweede instantie, beren. Als kind las
ik *Kazan, de wolfshond* en later Farley
Mowats *Never cry wolf*. Ik ben anders dan de
sentimentele, door de leugens van 'Roodkapje'
en 'Drie biggetjes en de boze wolf' verziekte
massa. In Transsylvanië zwerven nog wolven,
volgens de laatste telling 3100. En 5500
bruine beren (*Ursus arctos*), joekels van
driehonderd kilo, twee meter hoog als ze op
hun achterpoten staan. Als jongetje fantaseerde
ik onder de bomen dat ik door een woud liep
waar beren en wolven leefden. Ja, ik was het
kind dat oren van Ierse wolfshonden optilde
om er opdrachten in te fluisteren. Ik sprak de
geheimtaal der dieren.

Ter voorbereiding op deze tocht heb ik mijn oude wolvenboeken doorgebladerd en ben langsgegaan bij twee kunstenaarsvrienden die 's nachts leven met hun drie honden, als een wolvenroedel. Overdag slapen ze. Om zeven uur 's avonds begint hun de dag. De honden worden alleen midden in de nacht uitgelaten, zodat ze niet socialiseren 'met poedeltjes en zo'. Ze zijn grote wolvenkenners. Als ik kom, worden ze net wakker. Jeff, alias professor Weed, ligt op de bank met een jointje voor het testbeeld na te denken. Boven de zwartleren bank hangt een hoogtezon. Jeff en Sue hebben in hun testament bepaald dat hun gehele nalatenschap naar de wolven gaat. Het huis, de schilderijen, de boeddhabeelden, de weed en wat verder loskomt. Professor Weed stamt uit een patriciërsgeslacht.

'Wolven blaffen niet. Honden blaffen omdat ze proberen te praten, omdat wij dat graag willen,' zegt Jeff: 'Je gaat toch niet in gezelschap van vrouwen naar Transsylvanië?'

'Nee, hoezo?'

'Beren kunnen ongestelde vrouwen van afstand ruiken.'

'Surinaamse mannen ook.'

'Wat hebben beren met Surinamers?'

'Nee, Surinaamse mannen kunnen dat ook.'

'Ach? Op twaalf kilometer?'

'Nee, op meters.'

'En, komen ze erop af?'

'Integendeel.'

'Beren wel.' Hij kijkt mij serieus aan.

'Heb je nog concreet advies wat de wolven betreft, Jeff?'

'Niet in de ogen kijken, nooit in de ogen kijken. Anders moet je je plek in de hiërarchie bevechten. Ze hebben een soort röntgenapparaat, een sterk vermogen te keuren wie ze voor zich hebben. Je moet op je intuïtie vertrouwen.' Dus niet in de ogen kijken en je nooit anders voordoen dan je bent.

Okay. Ik adem diep in door mijn neus. Eén worden, dat is de kunst. Het landschap gaat van vlakte in bergen over.

In Braşov word ik van het station gehaald door Christoph Promberger van het Carpathian Large Carnivore Project. Hij heeft de ogen van een wolf. Hij brengt me naar Žarneşti, 30 kilometer ten zuidwesten van Braşov. Onder Ceauşescu was Žarneşti een 'gesloten stad' omdat er een rakettenfabriek stond, vermomd als fietsenfabriek. Aan de gevel hing een logo van een tweewieler. Voor een fietsenfabriek stonden er wel opmerkelijk veel wachttorens en schijnwerpers om het terrein. De torens zijn verlaten. Fotograferen is nog altijd verboden. De voormalige gesloten stad is door het Carpathian Large Carnivore Project, een samenwerkingsverband van een Roemeense en een Duitse natuurorganisatie, uitgekozen als het toekomstige centrum. Zij proberen het 'ecotoerisme' van de grond te tillen, waarvan de inkomsten zowel naar het project als naar de plaatselijke bevolking vloeien. Om te tonen dat er ook nog voordeel aan die beesten te behalen valt.

De Karpaten vormen de ruggengraat van Europa's roofdierenbestand. Dit is eigenlijk de laatste plek waar grote roofdieren genoeg ruimte hebben en in voldoende aantal aanwezig zijn om op een gezonde wijze voort te bestaan. Als er ergens een gebied is dat veilig gesteld moet worden dan is het hier. Maar

juist in Oost-Europa, waar de natuur absoluut
overweldigend is, laat het de lokale bevolking
Siberisch. Ze hebben wel wat anders aan het
hoofd. Overleven.

Tot de jaren zestig werd het uitroeien van
wolven van alle kanten gestimuleerd. Ze
werden intensief bejaagd en vergiftigd met
strychnine. In vroeger tijden werden gevangen
wolven soms tussen misdadigers opgehangen.
De Kerk zocht naar een gezicht voor 'het
kwaad', dat werd de wolf, vertegenwoordiger
van de duivel op aarde. Tweeduizend jaar
van vervolging en tussen de mensen leven
heeft de Europese wolf extreem schuw
gemaakt. In Bran, het dorpje naast Žarneşti,
waar een groot kasteel staat dat door het
toeristenbureau wordt gepresenteerd als het
slot van 'Dracula' Vlad Tepes (lariekoek, hij
is er waarschijnlijk zelfs nooit geweest) is de
wolvenparanoia verstrengeld met xenofobie;
het gerucht gaat dat het Carpathian Large
Carnivore Project tweehonderd Duitse
wolven importeert met microfoontjes in de
oren, waardoor ze instructies ontvangen. Het
klinkt als de *logline* voor een tot mislukken
gedoemde horrorfilm.

De om Žarneşti oprijzende hellingen doen
naar adem happen. Een voorwereldlijk decor.
Vergeet Yellowstone, vergeet het Krüger Park. De
overrompelende natuur en de grote roofdieren
liggen om de hoek. Boek uw vakantie nu om!
Die badplaatsen hebben we wel gezien,
naakte mensen zíjn afstotend - ik bedoel, zelfs
het lekkerste ding krijgt iets lachwekkends
en tragisch tegelijkertijd als ze haar kleren
uittrekt en in bikini door het rulle zand
ploegt - en die Italiaanse kerkjes, laten we

eerlijk zijn, als je er één hebt gezien, heb je ze allemaal gezien. Als we om acht uur 's avonds Žarneşti inrijden, wil ik ogenblikkelijk die wouden in, op jacht naar beren en wolven. Ik kan geen seconde wachten. Voor het uitstappen vraag ik Christoph hoe vaak hij eigenlijk wolven ziet.

'Only one time.'

Ik staar hem aan, mijn mond valt open.

In zeven jaar tijd heeft hij één wolf gezien?!

Nou ja, hij ziet wel vaker wolven. Ze vangen wolven, ze hangen wolven zenders om en volgen die, maar zo bij toeval heeft hij in al die jaren één wolf gezien. Maar morgenochtend neemt Horst, de technische man van het project, mij mee. Hij is vrijwel de hele dag buiten en ziet met grotere regelmaat wolven. Horst zal de telemetrieset meenemen zodat we Paltinu misschien kunnen lokaliseren.

Paltinu is het alfamannetje van het Paltinu-roedel. In oktober 1995 is hij gevangen in een pootklem (The Livestock Protection Company, No. 7 wolf traps), verdoofd met Helabrunn Mixture (Ketamin met Rhompun-poeder) en voorzien van een Telonics MOD 505-zender. De onderzoekers volgen de wolven te voet, te paard, waar het kan met four-wheel drives, en soms met een vliegtuigje. In de winter gaan ze met ski's en van die Donald Duck-tennisrackets en met *snowmobiles* achter de wolven aan. Op jacht naar voedsel leggen de wolven enorme afstanden af: ze omvatten een terrein van 220000 hectaren. Vier van de vijf wolven met zenders zijn de afgelopen jaren verdwenen: gestroopt of vergiftigd. Alleen Paltinu is nog traceerbaar. Hij keert steeds terug naar de vuilnisbelt van Braşov.

Een cameraploeg van de BBC Natural History Unit heeft twee jaar uitgetrokken om een documentaire over de beren en wolven te maken. De ploeg kampeert in een afgelegen gebied met de fraaie naam Dragului om het roedel van Paltinu te filmen. Enkele dagen geleden hebben de onderzoekers een 'den', een wolvenhol, gevonden. Ik val met mijn neus in de boter - denk ik.

De volgende ochtend vroeg is het al drukkend warm. De metropoliet Teoctist loopt nog steeds te bidden om regen. Dezelfde Teoctist, die op 17 december 1989, vijf dagen voor de revolutie, zo attent was Ceaușescu een telegram te sturen om solidariteit te betuigen.

In mijn camouflagepak schuif ik aan voor het ontbijt. Ik ben ongeschoren, geen penetrante scheerschuimlucht op mijn wangen. Alleen koud afdouchen is het devies deze dagen. Kijker en camera draag ik in een donkergroene schoudertas. Ik heb een fles water en een groot mes; ik ben op alles voorbereid. Ik oog als een avonturier die vanuit de frontlinie verslag gaat geven van het Vietcong-offensief op Saigon.

Daar is Horst Vielspaß, de radiotelemetrist met de gouden handen. Het is niet eenvoudig mijn teleurstelling te verbergen bij de begroeting. Horst ziet eruit alsof we een dagje Zandvoort gaan doen. Hij heeft een hel geel T-shirt aan, een korte broek, gsm in apart zakje aan de heup en een geel baseballpetje op zijn hoofd. Hij is solide gebouwd maar ontbeert de gelooide huid van de buitenmens. Met de baseballpet, blonde snor en strakke, korte spijkerbroek kan hij zo als centerfold in

Squeeze. We zullen eerst de twee tamme wolven van het project, die als puppy's uit een bont- kwekerij zijn gered, bezoeken. Tussen neus en lippen vraag ik Horst hoeveel wolven hij gezien heeft.

'Zeven.'

Zeven in díe outfit, denk ik, dan maak ik in mijn guerrilla-outfit zeker een kans.

'En hoelang ben je hier?'

'Sinds '96.'

Ik slik. Vijf maal 360 is 1800. Zeven wolven in 1800 dagen. Ik zal hier precies zes dagen zijn. Ik ben anders, houd ik mezelf voor. Ik ben niet alleen reiner, zweet minder, ben beter gecamoufleerd, maar vooral: ik begrijp ze, ik voel ze aan, ik schakel over op mijn intuïtie. Ik heb een scherpe blik, weet hoe me door een bos te bewegen, weet uit welke hoek de wind waait. En daarbij: ik heb altijd mazzel. Maar we moeten opschieten. Het is al halfnegen. De eerste van de zes dagen is al voor een derde voorbij.

We klimmen in de auto, achterin ligt Horsts hond. We beuken over steengruiswegen, een stofwolk achter ons aanslepend. Horst spreekt Nederlands. Hij heeft gestudeerd aan het Van Hall-instituut in Leeuwarden, het enige opleidingsinstituut in Europa voor Wildlife Management. Stel je voor, Leeuwarden. Italianen, Spanjaarden, iedereen komt daarnaar toe. Iets van vaderlandse trots zwelt in mijn borst. We passeren een doorzeefd toegangsbord bij de ingang van het natuurgebied.

'Wat staat er?' vraag ik.

'Het is verboden auto's in de beek te wassen, oude bomen om te hakken, stukken bos af te branden,' zegt Horst. Bij de blokhut is een grote ren met de twee wolven, Crai en Poiana. Een Nederlandse jongen van het Van Hall-instituut verzorgt ze, Hugo Bär ('inderdaad, zoon van'), goede naam voor dit project. Hij heeft weinig problemen met de wolven, in tegenstelling tot Horst. Een van de wolven probeert in de hiërarchie te stijgen. Gisteren nog werd Horst door Poiana in de rug aangevallen en in zijn rechterarm gegrepen. Hij heeft zijn arm verder de bek in geduwd en de wolf met een schouderworp tot de orde geroepen. De tanden van wolven zijn bijna twee keer zolang als die van de grootste hond en de kracht in de bek is drie keer zo groot. Een pitbull is er een cavia bij vergeleken. Ik begin Horst met andere ogen te bekijken.

'Als je je arm eruit probeert te trekken, krijg je gemene wonden. Als je je arm dieper in de bek duwt, kan hij minder kracht zetten.'

'Ja, ja natuurlijk,' zeggen we bedeesd terwijl we met een schuin oog de wolven in de gaten houden die naar elkaar grommen om een homp paardenvlees van vijftig kilo. De laatste wolf is in Nederland in 1849 geschoten, we zijn de dagelijkse omgang een beetje ontwend, dat is het, maar nu leer ik van Horst de basisvaardigheden weer. Met veel gedoe wordt een van de wolven, Crai, uit de ren gehaald en aan een dikke, lange ketting gedaan. We lopen de vlakte op. Horst gaat voor met de wolf. De sporen van hond en wolf kun je uit elkaar houden doordat een hond een zwalkende lijn maakt: een wolf weet wat zijn doel is en gaat daar recht op af.

'Wil jij haar uitlaten?' vraagt Horst.

Met de lucht van Crai aan me vergroot ik mijn kans wilde wolven te ontmoeten. Ik knik.

Voor ik het weet heb ik de ketting in handen en word uitgelaten. Als ze maar niet door heeft wat ik van Horst en zijn outfit vind. Wolven kijken dwars door je heen, weet ik van professor Weed. Zelfs je gedachten zijn niet veilig. Het grote beest sleept me naar een afgelegen plek bij de beek, honderden meters verwijderd van de anderen. Daar zul je het hebben. Vaarwel lieve wereld.

Ze vliegt me niet naar de keel met haar haaientanden, maar slobbert een donkerbruine plas leeg. Ze negeert me volkomen. Het behaagzieke van de gemiddelde labrador of koningspoedel ontbreekt. Het is duidelijk: zij beschouwt mij als haar mindere. Ik laat het maar zo. Zelfs als ik haar krachtig tussen de oren kroel, doet ze alsof ik niet besta.

De rest van de dag trekken we, zonder de clubwolf, de wouden in. Horst en zijn hond gaan voorop. Hij houdt bergopwaarts een moordend tempo aan, hijgend volg ik het strakke spijkerbroekje en de bleke kuiten. Langzaam wordt duidelijk wie hier de sissy-boy is. Na een uur houdt Horst eindelijk in en wijst triomfantelijk naar de grond. Ik leun met twee handen tegen een eeuwenoude beuk, hartslag 185, en heb het gevoel dat ik zo meteen mijn nieren ga uitkotsen. Midden op het pad ligt een enorme berg stront. Berenstront, vertrouwt Horst me samenzweerderig toe.

'Zijn dat haren of is dat gras?' vraag ik na enige tijd raspend. Horst steekt zonder aarzeling zijn wijsvinger in de zwarte berg. Ik wend mijn gezicht af. Hier wordt het kaf van het koren gescheiden. Hij voelt waarschijnlijk of het nog warm is, hoe vers het is.

'Gras. Beren eten in principe alles: bramen,

bosbessen, wilde aardbeien, schapen.' Horst houdt zijn vinger omhoog en nu zie ik dat hij een stokje vasthoudt in het verlengde van zijn wijsvinger. Aan het uiteinde van het stokje bungelt wat berenpoep. 'Appels, pruimen, kersen, beukennootjes, mieren, ze zijn dol op mieren.'

Ik schiet een rolletje vol op het eerste tastbare bewijs dat er grote vleeseters in de buurt zijn. Dan keren we om. Heb ik deze halve marathon gelopen voor een drol? Zo gaat het de rest van de dag en de volgende dag. Horst vliegt orerend (hij weet veel van de natuur, dat valt niet te ontkennen) de berg op, ik volg met mijn tong op de knieën en kom dan bij een voetafdruk van een beer of een wolf terecht. Na twee dagen heb ik nog geen konijntje gezien. Horst legt uit dat niet alleen de wolven, maar alle dieren in het bos schuwer zijn. Ja ja. Hij kijkt vooral naar de grond en gaat als een blind paard door het bos. Hij breekt alle takken op zijn pad en ouwehoert zonder onderbreking over de bloempjes en de bijtjes. Mijn aanvankelijke optimisme ligt onder vuur.

Ceauşescu, Tito en Zjivkov van Bulgarije voerden een verborgen oorlog. Op het gebied van jachttrofeeën. Zjivkov schoot steeds zulke belachelijk grote herten dat de anderen er doodziek van werden. Tito richtte zich van lieverlede op de zwijnenjacht, terwijl Ceauşescu Securitate-agenten naar Bulgarije zond om de Biks te bemachtigen waarmee Zjivkov de herten bijvoerde. De Securatistes kwamen gedesillusioneerd terug. Welke preperaten ze het roodwild in Roemenië ook zouden toedienen, zo groot als de Bulgaarse edelherten werden ze nooit. Maar de agenten hadden ook goed nieuws: de beren in Bulgarije waren stukken kleiner.

Vanaf dat moment mocht geen Roemeen nog op beren jagen. Overtredingen werden zwaar gestraft, de beren bijgevoerd. De populatie steeg in de jaren tachtig tot achtduizend stuks. Per Puma-helikopter, en soms met een Alloutte, kwam Ceaușescu uit Boekarest naar de Karpaten. Hij beschouwde heel Roemenië als zijn privéjachtterrein en het is mede aan zijn megalomane trofeedrang te danken dat Transsylvanië nog altijd meer dan een derde van alle grote roofdieren van Europa herbergt. Al zeventien jaar is de conducator onverslagen. Tot op de dag van vandaag is Ceaușescu wereldrecordhouder met een zeshonderd vijftig kilo zware, in 1984 in Mureș geschoten beer.

De recordbeer hangt in het politiek correcte jachtmuseum in Posada. Bij alle trofeeën zijn de initialen N.C. verwijderd. 'All gold medals,' zegt de gids trots. Als ik vraag of ze door Ceaușescu zijn geschoten, beaamt de gids dat schoor-voetend. De volledige inhoud van het museum is door 'Dracul', zoals hij in de volksmond genoemd werd, bij elkaar geknald. De collectie is na de revolutie gevonden in een loods in de buurt van Snagov. In de folder van het museum wordt de oude dictator nergens genoemd.

'He was a killer.' Tussen de tientallen opgezette beren in de berenzaal wordt mijn gids spraakzamer. 'He killed and killed, every day. He was a criminal.' Als ik vraag waarom hij dat deed, antwoordt ze: 'I don't know about Ceaușescu's personal life, only about these trophees.'

Ceaușescu legde er soms tientallen op een dag om. De jachttechnicus in Mureș noemt vierentwintig beren als dagrecord, in het jacht-museum wordt een aantal van vijfenveertig genoemd. Wat niet wil zeggen dat 'Dracul' een goed schutter was. Volgens het reisgidsje voor de Karpaten moest er een teddybeer voor zijn loop worden gebonden om te zorgen dat hij niet miste. 'He just had to pull the trigger,' zegt de gids in het museum.

'Van het hoofd van de Securitate mocht Ceaușescu niet voor de voet jagen, alleen maar vanuit de *hochsitz*. Anders was het te gevaarlijk. Als Ceaușescu een beer aanschoot moesten zijn jagers erachteraan,' vertelt de voormalige jachttechnicus van de dictator, die nog altijd dezelfde post bekleedt (nu komen vooral trofeejagers uit Duitsland, Spanje en Italië, die per beer ongeveer 20 000 DM neertellen). 'Een gewonde beer vlucht het dichte bos in tot hij niet meer kan, dan draait hij zich om en grijpt de eerste die komt. Soms moesten ze worden afgemaakt met een van Ceaușescu's jagers eronder.'

De derde dag vinden we een wolvendrol. Horst is opgetogen. Hij is nog maar enkele uren oud. Ik zijg neer. Emotioneel voel ik me wat vlakker. Is dit de kroon op mijn werk? Heb ik hier 2500 kilometer voor gereisd? Word ik geacht een vreugdedansje rond het ding te maken? Horst roert er met een stokje in, je ziet de haren van de verslonden slachtoffers. Hij heeft me eerder verteld dat er in wolvenpoep eitjes kunnen zitten die je als je te diep inhaleert binnenkrijgt, en zich onder je tong of in je lever vastzetten en dan opzwellen tot je sterft. Hij steekt het stokje uitnodigend toe: ik mag even. Ik snuffel voorzichtig. Een stank penetranter dan ammoniak, de tranen springen me in de ogen. Met deze stinkbommen zetten ze dus hun territorium af.

'Verkleinen we onze kansen niet door ons blind te staren op de poep en de sporen? Moeten we niet anders focussen, misschien wat minder praten?' vraag ik voorzichtig.

'Per 20000 hectaren zit er één wolf, de kans die toevallig tegen het lijf te lopen is klein.' De getallen en de percentages heeft Horst goed in zijn hoofd: 'Het gaat er niet om dieren te observeren, het gaat om radiotelemetrie, het gaat erom het gedrag van de wolven te bestuderen.'

Dat is nou het verschil tussen de profi en een domme toerist. Ik wil een beer of een wolf zien. Nu! Al is het maar een speldenknopje aan de bosrand.

'Ik wil gewoon een wolf of een beer voor mijn lens,' voeg ik met geknepen stem toe. 'Confucius, ja? Een beeld zegt meer dan duizend woorden.'

Horst draait zich om. Ik ben bang dat ik hem heb teleurgesteld. Hij steekt zwijgend de antenne van de radiotelemetrieset de lucht in. En zwenkt het apparaat voorzichtig rond terwijl hij aan de knoppen draait van de ontvanger aan zijn heup. Hij tuned in op dat andere universum, waar ik geen weet van heb. Dan klinkt er zacht gepiep. Voor het eerst. Het klinkt als de prelude van een symfonie. Ik voel me licht in het hoofd worden. Horst houdt het kompas in zijn hand en zegt triomfantelijk: 'Noord-noordwest.' Hij stapt op zijn stevige bergschoenen met stevige stappen in de richting die de antenne zonet aanwees.

We zijn een gezenderde wolf op het spoor! Paltinu! Het alfamannetje van het Paltinu-roedel!

Vederlicht huppelend ga ik verder, zonder één takje met mijn maat 46 te breken.

Driehonderd meter verderop is ieder contact verbroken en hoe snel we alle omliggende bergkammen ook op marcheren: we vinden het niet terug. We kijken elkaar zwijgend aan.
Ik heb nog twee dagen. Ik nader het punt van fysieke uitputting. Nog even en ik barst in tranen uit.

'Je wilt dieren zien?' vraagt Horst ten slotte op een toon alsof ik net bekend heb enorm geil van schapen te worden. Ik knik instemmend. Bedoel, zo raar is dat toch niet? Ik moet dieren zien, grote dieren, roofdieren. Daarvoor loop ik nu al drie dagen op mijn tandvlees.

'Okay, vanavond gaan we naar Brașov.' Het klinkt dreigend. Als serieuze onderzoeker ben ik afgeschreven, zoveel is wel duidelijk.

Racadau is een begin jaren tachtig gebouwde buitenwijk van Brașov in een lange, smalle vallei, aan drie zijden omsloten door steile, met sparren begroeide bergwanden. Voordat de flats werden gebouwd was dit het domein van beren. En dat is het nog steeds. 's Nachts komen ze de hellingen af en halen de vuilnisbakken langs de Strada Jepilor leeg. Soms doorkruisen ze de wijk. De berenpopulatie rondom Racadau wordt op vierentwintig geraamd. Er is in heel Europa geen plek waar zo veel wilde beren zo regelmatig zo dicht bij mensen komen. Dat is riskant. De beren wennen met de dag aan de aanwezigheid van mensen en vice versa. Groepjes opgeschoten jongeren en dronken mannen worden steeds roekelozer in hun pogingen iets te bewijzen. In tegenstelling tot wolven zijn beren bloedlink.

Het kan niet uitblijven of er valt op korte termijn een dode in Racadau. Tot nu toe is er slechts één slachtoffer gevallen. Een dame op leeftijd die 's nachts gestommel in de keuken hoorde, kreeg toen ze het licht aanknipte een hartaanval bij de aanblik van de wel erg zwaar behaarde indringer naast haar ijskast. Verder verloor een lokale familie het klaarstaande vijf-gangen-paasdiner en stapte een man, zo kaal als een reiger, in zijn Dacia terwijl er al een beer in zat. Hij kwam met de schrik vrij, zoals dat heet. Af en toe voeren de beren een schijnaanval uit naar treiteraars. Een niet weg te cijferen deel der omstanders leeft in de illusie ze eruit te sprinten. De volwassen beren zijn dan misschien even groot als een Fiatje 500, ze accelereren wel vijf keer zo snel.

Het is halfelf en het begint donker te worden als ik met Horst, gewapend met een schijn-werper, Braşov in rijd. Het is een zwoele nacht. Langs de straten lopen groepjes jongens, mannen in blote bast met enorme bierbuiken en de mooiste meisjes in strakke T-shirts. Racadau is zoals je je het Oostblok voorstelt, met dat verschil dat het niet regent. We patrouilleren door de wijk. Op safari in de Bijlmer. De afvalverzamelpunten liggen aan de Strada Jepilor, die de scheidslijn vormt tussen flats en oerwoud. Tussen elf en twaalf heeft de straat iets van een tippelzone met om de tweehonderd meter een afwerkplek. Een komen en gaan van auto's. Men rijdt stapvoets, stopt, loert, kijkt nog eens en rijdt dan weer zachtjes door. Ook laat men zich in taxi's langs de vuilnisbakken chaufferen.

Om halftwaalf is het raak, de oren van Horsts hond gaan recht omhoog. Bij vuilverzamelplek nr. 2 hangt een dikke beer over de betonnen rand. Hij duikt met zijn kop in de container en sleurt er een volle vuilniszak uit. Hysterisch blaffende honden klinken uit het bos rondom de beer, maar dichtbij komen durven ze niet. Horst parkeert de auto bij de container en knipt de schijnwerper aan. Voorzichtig geeft hij de beer steeds meer licht. Aan de overkant, nog geen twintig meter van de beer, staan de deuren van de flatgebouwen uitnodigend open. Een politie-landrover met zwaailicht passeert stapvoets. In de auto zitten twee agenten met zwarte bivakmutsen op. Eerst denk ik even dat het negers zijn, maar in Roemenië zie je geen negers. Bij mond en ogen gapen sinistere gaten in de bivakmutsen. Achter de landrover rijdt een Dacia met gedoofde lichten met mannen in burger.

Het wordt steeds leger om ons heen op de Strada Jepilor, wat mensen betreft dan, want beren komen er steeds meer. Drie vossen en veertien beren zien we in wisselende groepjes bij de verschillende containers. Dat de dronken en balorige jongens vergeten dat het levensgevaarlijke beesten zijn en ze op vrijdagavond met stokken proberen te prikken, kan ik me voorstellen. Ze zien eruit als circusberen, die op een gloeiende plaat hebben leren dansen en die de ogen zijn uitgestoken. Alleen een moederbeer met twee jongen straalt gevaar uit. Om halftwee 's nachts zijn we de laatste surveillerende auto in Racadau en komt het doodseskader met de bivakmutsen voor de derde maal binnen tien minuten tergend langzaam langszij. We besluiten dat het tijd is om op te stappen.

De volgende ochtend word ik door Horst gehaald om naar het afgelegen BBC-kamp gebracht te worden. Het is nog steeds bloedheet. De graanschuur van Europa is aan het verzengen. Vrachtauto's mogen niet meer over het asfalt rijden. Het volk mag komen schuilen in de koelte van overheidsgebouwen en voor bejaarden zijn er extra flessen water beschikbaar gesteld. De gruisweg gaat over in een rotspad en het rotspad gaat over in een droogstaande rivierbedding. Na anderhalf uur bereiken we het BBC-kamp. Ze gaan de plek verlaten en zijn aan het inpakken. Ze hebben meer spullen bij zich dan de NASA, die naar de maan gaat. De 'den' blijkt niet gebruikt te worden. De wolven laten zich niet zien. De infraroodcamera's zijn uit de bomen gehaald. De afgelopen anderhalve maand hebben ze alleen schapen en geiten gefilmd. De dagen van de BBC'ers bestaan vooral uit wachten en eten. Om de dag rijdt een van hen naar de McDonald's in Braşov. Veertig kilometer over rotspaden en door rivierbeddingen voor zes *happy meals*.

De documentairemakers zien eruit als ouderwetse helden. Ze vertellen dat veel herders littekens hebben van hun gevechten met beren. Bijna dagelijks hebben de herders met beren en wolven te maken, zeker aan het eind van de zomer als het gras op de weides te hard en droog wordt en ze hun schapen onder de bossen laten grazen. De herders verdienen 150 DM per maand. De kuddes, van tweehonderd tot duizend schapen, behoren meestal aan verschillende mensen uit een dorp toe. Een schaap is ongeveer 50 DM waard. De herders moeten kunnen aantonen dat een schaap door een beer of wolf is gepakt anders moeten ze de schade zelf betalen. Ze vechten op leven en dood met de beren, ook als een schaap al half is aangevreten. Af en toe wordt een herder met de maai van een berenpoot onthoofd.

De BBC'ers vertellen na hoe de herders onomwonden over de roofdieren spreken. 'Het was 1989. Een beer greep een van mijn

schapen. Ik ging er met mijn stok achteraan. De beer pakte me bij mijn been en gooide me tien meter door de lucht. Overal bloed. Toen kwam mijn broer. Hij schreeuwde en sloeg de beer met een stok op zijn kop.' Alleen oplettende herders en een grote groep goede honden kunnen de schapen beschermen. De wolven zijn slim. Een of twee wolven naderen de kudde van één kant en lokken de honden naar zich toe, terwijl de rest van de roedel van de andere kant over de afrastering van de kraal klimt en de schapen eruit sleurt.

Omdat de BBC'ers vertrekken, moet ik improviseren. Ik besluit de nacht alleen door te brengen op een hoogvlakte een eindje boven het verlaten wolvenhol. De volgende dag zal Horst me komen halen, hij heeft dan een groep Duitse toeristen bij zich. Het is een gewijd moment dat Horst me de gele spuitbus met anti-beer-pepperspray overhandigt, zoals in de negentiende eeuw een vader voor het eerst met zijn zoon een whisky dronk of hem meenam naar het bordeel. Datzelfde gevoel geeft dit. De rituele inwijding. Voor wolven hoef je niet bang te zijn. De beren mag ik pas in het gezicht spuiten als ze binnen een afstand van drie meter zijn. Ik knik instemmend. Eerder heeft Horst me voorgedaan hoe je, als je geen pepperspray hebt, moet doodliggen. Het is van belang dat je lawaai maakt in het bos want het gevaarlijkst is een beer die je uit zijn dutje opschrikt. Ineens begrijp ik Horsts fleurige T-shirts en het breken der takken.

Ik zet de tent op en maak een kampvuur en een grote tevredenheid daalt over me. Het uitzicht is weids, woest. Honderden kilometers bossen, bergen, geen enkel mensengeluid, geen enkel lichtstipje, helemaal niets dat op het bestaan van mensen wijst. Totale stilte. Ik ben nietig en kwetsbaar en sterfelijk, daar ben ik ook van doordrongen zo alleen midden in de natuur. De stilte is overweldigend, het grote bos om mij heen intimiderend. Ik ben gespitst op ieder geluid en zorg dat de gele spuitbus steeds in de buurt is. Ik slaap matig. Eerder heb ik, zonder tent, zo enkele nachten in wouden in Ontario geslapen. 's Nachts hoorde ik toen wolven huilen en ben op een rots zittend terug gaan huilen. Ze bleven mij antwoorden. Die nacht sliep ik niet erg diep. De alertheid is kwadratisch aan de alertheid thuis op de Sultan de Luxe.

De volgende ochtend sta ik om halfvijf op. De wetenschap dat achter elke omgevallen boom een beer kan zitten, maakt de muisstille tocht door de open wouden magisch. In vier uur tijd zie ik welgeteld één edelhert.

Om twaalf uur komt Horst de berg op met in zijn kielzog een uitgeputte groep Duitse ecotoeristen. Ze vallen neer rondom mijn kampvuur en brengen me in een dilemma. Groot ontzag heb ik voor wat de mensen hier doen, Christoph Promberger, Peter Sürth, Barbara Promberger, Hugo Bär, Horst Vielspaß: onder barre omstandigheden wolf en beer proberen te beschermen en de lokale antipathie jegens de roofdieren om te buigen. Ik wil oproepen massaal geld te storten voor het Carpathian Large Carnivore Project, ik wil iedereen aanraden naar de overweldigende wildernis van Transsylvanië te komen en het project in Žarneşti te bezoeken, maar tegelijkertijd wil ik het niet op mijn geweten hebben dat een van mijn vrienden, of een van de vrienden van mijn vrienden, door mijn enthousiasme verzeild raakt in zo'n groepje ecotoeristen.

De sandalen. De dunne paarse regenjacks. De Duitse humor. De beslagen brillen. De meegebrachte boterhammetjes. De cocoskoeken. Het ecologisch fanatisme. Daarbij zul je altijd zien dat er nooit gewoon eens een lekker wijf tussen die natuurliefhebbers zit. En dat is een understatement. Wat niet wegneemt dat ik al na enkele minuten het gevoel krijg dat er wordt gezwijmeld. Donkergrijze wolken pakken zich ondertussen samen aan de hemel. Ze is een van de jongste van het gemêleerde groepje en ze heeft ook best een grappige, zelfgebreide muts op, maar het is niet direct wederzijds. Ik ben hier voor de wolven. Ze pakt de telemetrie-antenne van Horst over en terwijl de rest van de groep nog ligt uit te hijgen, meegebrachte boterhammetjes eet of met verrekijkers de bosrand afspeurt op loslopende wolven, steekt ze de antenne zo hoog mogelijk de lucht in en kijkt me doordringend aan. Het lijkt een poging tot hypnose. Ze is één met de natuur, dat is duidelijk. In de verte zie ik lichtflitsen en hoor ik het donderen. We staan op een hoog-vlakte. Het begint hard te waaien.

Onbewust grijp ik met twee handen mijn camera vast, voor als dadelijk de bliksem in haar slaat. Hoewel ik weet dat het praktisch onmogelijk is haar op het juiste moment te fotograferen, een kans van één op één miljoen. Je moet zo snel zijn als Lucky Luke, die zijn eigen schaduw kan raken voor die de tijd heeft te reageren.

Dan begint het te hosen. De regen is er eerder dan het onweer. Met de Duitsers schuil ik onder een stel beuken. Horst heeft de antenne verderop onder een boom gelegd. In de schemering krijg ik een visioen. De ecotoeristen hebben ineens helmen met een uitstaande rand op en groene uniformen aan. Ze maken dezelfde grapjes, het zijn dezelfde lieve mensen. De helmen lichten op in de bliksem. Hun donkergroene uniformen worden, net als mijn kleren, doordrenkt. Ik geloof dat ik aan een goede nacht slaap toe ben.

De grootste droogte in vijftig jaar is voor Roemenië voorbij. De metropoliet van de orthodoxe Kerk, Teoctist, de oude collaborateur, mazzelt. Met deze door het gebed verworven hoosbui zal hij zijn invloed onder de boeren- bevolking uitbreiden. Het hagelt, het dondert, het bliksemt, het komt met bakken uit de lucht. En het houdt ook niet meer op. Na een uur beginnen we te lopen. Verder zoeken naar wolven heeft geen zin. Het pad verandert in een roodbruine, kolkende bergbeek. Ik ben doorweekt. Ik ben verslagen. En voor het eerst kan het me niet meer schelen.

Diezelfde avond neemt Horst mij mee naar Braşov, waar ik de laatste nacht voor vertrek zal doorbrengen. Zwijgend zit ik in de auto. Bij het afscheid voel ik me schuldig en besef dat ik in de ogen van Horst net zo'n infantiele *trophee hunter* als Ceauşescu moet zijn.

Primair op zoek naar trofeeën, niet naar eenwording met de natuur. Bedeesd schud ik hem de hand. Achter Horst in de gevel van de universiteit zitten kogelgaten van de revolutie van '89.

Gedreven door vraatzucht eet en drink ik tot diep in de nacht en ga dan naar een discotheek met de veelbelovende naam No Problem. Nog nooit heb ik zoveel *hardbodies* bij elkaar gezien. Maar ik word genegeerd, net als met Crai. Ik ben lucht. Zo laten alfamannetjes en -vrouwtjes weten dat je lager in de hiërarchie staat. Met mijn camouflage-outfit en mijn bergschoenen voldoe ik niet aan de *dresscode*. Publiekelijk vernederd laat ik me vollopen met wodka. Om vijf uur 's morgens sta ik op de stoep, kijk omhoog naar de metershoge naam in neon van de discotheek en weet dat het een cynische grap is. Snel stap ik in een taxi. Bij een McDonald's dirigeer ik hem de afhaalstraat in. Ik bestel twee happy meals, een cappuccino en het grootste softijsje voor de chauffeur, dat hij slechts na lang aandringen accepteert. De chauffeur vraagt of ik naar mijn hotel wil. Ik zit voorin en voel dat dit mijn lucky day is.

'No.'

'Club Bimbo?' zegt hij met een weke glimlach alsof wij elkaar begrijpen.

'No,' zeg ik.

'Club Scotch?'

'No, to the city-dump.'

'City-dump? Is it topless club?'

'Where they collect the garbage. The garbage mountain.' Ik geef met mijn hand de richting aan. Na vijf dagen ben ik eindelijk weer in control. Nu gaat het gebeuren. Een grote luciditeit en besluitvaardigheid neemt bezit van me. De vuilnisbelt, dat is de plek waar Paltinu steeds terugkeert. Tussen de grauwe flats rijden we de stad uit, naar de bergen. De wereld wordt wakker, vrachtauto's met boomstammen en een enkele Dacia op de weg. Geen vuilnisbelt te bekennen, nou ja, gelukkig maar. Eigenlijk heb ik helemaal geen zin om over hekken te klimmen, naar verwaaide en verregende verpakkingen te staren. Ik zit veel te lekker. En je moet nog maar zien of zo'n taxichauffeur op je wacht. Het blijven Karpatenkoppen. Rijden is het motto. Aan weerszijden rijzen wanden met grote naaldwouden op. Twin Peaks Country.

'We are going to drive till we see a wolf. Bukarest, Sofia, Istanbul,' zeg ik, 'I don't care. We're going to drive until we see one.' De witte damp die opstijgt van de dennenwouden doet denken aan shampooreclame. De cappuccino is goed. Het regent. Zelfs het tikken van de digitale meter met rode cijfertjes klinkt me als muziek in de oren. Ik doe wat voor dit land. Ik geniet van de natuur en mijn geld stroomt naar de lokale bevolking. Ik ben een ecotoerist pur sang. De chauffeur vindt het ook een wereldidee. De ruitenwissers bewegen onovertroffen over de ruit. De geel-zwarte stippellijn op de vangrail langs het ravijn is van grote schoonheid. Ik buig over naar de chauffeur. Ik heb zin hem in mijn armen te sluiten. Het sterft hier van de wolven.

'Step on the gas,' fluister ik in zijn oor.

They will
hear of you
in Katmandu
before they
do in L.A. or
Buxtehude

Drie maanden geleden werd dit mij door een
tante gefaxt:

Het was de overlijdingsadvertentie van oom
Chuck die mijn grootouders maanden na zijn
dood hadden geplaatst. Sinds kort lees ik de
familieberichten. Liefdevol en ingetogen,
tenminste over het algemeen, worden de
drama's van de wereld op een krantenpagina
verwoord. De advertentie voor Charles 'Chuck'
Stork maakt enkele dingen duidelijk: Chuck
had geen contact meer met zijn familie in
Nederland. Pas na maanden kwam het bericht
van zijn overlijden door. (Overigens stierf hij
niet op 5 juli maar op 5 juni 1966 en niet in
Tampico zoals men zou kunnen denken, maar
in Alpine, Texas.) Zijn jongere broers woonden
in het brave Huizen en Hengelo, berichten
over Chuck kwamen uit Tampico. Tampico,
Mexico!

    In mijn roman *Tachtig* - geschreven lang
voordat ik wist dat deze mythische oudoom in
Tampico gewoond had - wordt door de hoofd-

persoon Frederik dit verlangen neergeschreven:
*We gaan per vrachtschip naar Veracruz of
Tampico. We vestigen ons in een pension met
vogelkooitjes aan de muren in een klein dorpje
dat San Juan Evangelista of Tamiahua heet.
We huren een wit of roze lemen huis aan het
strand waar we kunnen werken. In het geval
we besluiten daar te blijven, openen we een
visrestaurant en maken een grill van oude olie-
drums of beginnen een bordeel annex wasserette
met felgroene muren. En als we een dochter
krijgen noemen we haar Mercedes.*

Zo moeten de laatste jaren van Chuck een
beetje zijn geweest, alleen waarschijnlijk
zonder het roze, romantische waas dat Frederik
van H. een dergelijke leefwijze toekent.

Tot kortgeleden wist ik niet anders dan
dat Chuck in eenzaamheid was weggekwijnd
en gestorven in een caravan op een industrieterrein in Michigan waar hij als nachtportier
werkte. Nu blijkt hij, hoewel drieënzeventig
jaar oud, een respectabele leeftijd, geen
natuurlijke dood te hebben gekend.
Opmerkelijk is dat alle drie de broers, die in
de overlijdingsadvertentie weer verenigd zijn,
hun levens aan de techniek hebben gewijd en
dat diezelfde techniek hun alle drie fataal
werd. Auto- of motorongelukken. Mijn groot-
vaders broer Coen had in zijn studententijd
een motorongeluk dat zijn leven tekende. Een
serie operaties, onder andere in Duitsland
door Sauerbruch, de latere lijfarts van Hitler,
mocht niet baten en resulteerde in toenemende
verlamming en uiteindelijk een te vroege dood.

Mijn grootvader, met enkele duiven op weg
naar een fokker, stierf doordat een inhalende
auto frontaal op hem botste. Ik was de laatste

die hem zag. Ik was twaalf jaar en hakte haard-
hout bij mijn grootouders. Mijn grootvader
verliet het huis, liep naar de auto en zag hoe
ik stond te klungelen met de lange bijl en
de houtblokken. Ze wilden niet splijten. Hij
kwam naar me toe, hief de bijl hoog en liet
hem in het blok vallen, dat uit elkaar viel in
twee stukken alsof het doormidden werd
geblazen. 'Je moet de bijl het werk laten doen,'
zei hij alleen maar. Daarna stapte hij in de
auto, reed achterwaarts de oprit af en kwam
nooit meer terug.

Chuck, die zichzelf in Amerika presenteerde
als vliegtuigingenieur, kwam om bij een
auto-ongeluk in Alpine, Texas. De lokale krant
schreef over het ongeluk: *Mr. Stork was killed
at 8.30 p.m. Sunday in a one-car accident. Mr.
Stork was driving east on Avenue D when his
station wagon struck the center support of the
Santa Fe railroad bridge.* Hij had wel stijl,
Chuck. Niet een willekeurige lantaarnpaal of
boom maar 'the center support of the Santa Fe
railroad bridge'.

Chuck had zich dus gevestigd in die uithoek.
Alpine ligt tussen Marfa en Marathon op een
hoogvlakte in het zuiden van Texas vlak bij de
grens met Mexico. De Alamito, zijrivier van
de Rio Grande stroomt door het stadje. Chuck
zwierf door faillissementen en schulden
voortgedreven van staat naar staat, tot grote
schande en ontsteltenis van zijn ouders, met
wie al vroeg alle contact verbroken werd. Ten
minste tweemaal werd Chuck puissant rijk
om ten slotte in armoede ten onder te gaan.
Hij was bevriend met Howard Hughes en
innig met Anthony Fokker, bouwde op zijn
zeventigste nog eigenhandig een huis in de

woestijn en werd in 1963 burgemeester van een
stadje met de veelbelovende naam Horizon
City. Chuck is niet alleen het zwarte schaap
van mijn familie en het archetype van de
roekeloze, rusteloze avonturier, de soort man
die paarden temt: hij is ook de eerste, in dit
boek tenminste, die me tot een persoonlijke
bedevaart aanzette.

De Van Dale kent het woord bedevaart drie
betekenissen toe: *reis (meestal te voet) naar*
een heilige plaats, al biddend en om daar te
bidden, met name om een gunst af te smeken
of als boetedoening; bezoek aan een plaats
waaraan waardevolle herinneringen verbonden
zijn; de gezamenlijke personen die een bedevaart
doen. De verhalen in dit boek hebben
met elkaar gemeen dat het bijna allemaal
bedevaartstochten zijn, tochten waarbij ik
iets of iemand probeer te naderen. Wat opvalt
is dat de reizen gaandeweg comfortabeler
zijn geworden, waarmee de boetedoening
erodeert - zoals in iedere calvinist schuilt
er een masochist in me. Een bedevaartstocht
is natuurlijk geslaagder naarmate er meer
geleden wordt.

De verhalen zijn in chronologie van beleving
geplaatst en dat is op een uitzondering na
ook de volgorde waarin ze geschreven zijn. In
de loop van de tijd wordt het doel van de
tochten helderder: er is een reisbestemming.
En soms zelfs al een afspraak met iemand. Bij
het bezoek aan de Residencia de Estudiantes
in Madrid Pepín Bello, vriend van Buñuel,
Dalí en Lorca. En in Tanger Paul Bowles.

Nadat ik bij Bowles was geweest bleef ik nog
enkele dagen in Tanger en bezocht elke dag
een halfdonker antiquariaat in een achteraf-

straatje. Je moest tussen de torenhoge stapels boeken en papieren manoeuvreren. De eerste dag al had ik de eigenaar gevraagd of hij geen brieven, manuscripten of boeken met opdracht van Jack Kerouac, William Burroughs of Paul Bowles had. Hij gaf onduidelijk antwoord, hij zou kijken. Op de dag van mijn vertrek, met de boot terug naar Spanje, liep ik snel nog een keer bij hem langs. Hij haalde achter uit zijn kantoortje een stapel papier. Ik weet niet of die daar al die tijd al had gelegen en hij nu overtuigd was van mijn motivatie of dat hij ze net op de kop had getikt. Het kwam in ieder geval zeker uit de archieven Bowles. Het waren typoscripten van verhalen van Paul Bowles met in zijn handschrift verbeteringen, brieven van en aan Bowles, over prozaïsche zaken en brieven van Mohammed Mrabet, de Marokkaanse dichter en protégé van Paul Bowles. Dat is wat ik ter plekke onder tijdsdruk bij elkaar grabbelde - ik weet niet wat voor juwelen ik in de haast over het hoofd heb gezien. Voor 300 Franse francs mocht ik een vuistdikke stapel schatten van de antiquaar mee naar huis nemen. Met weemoed klom ik een uur later op de boot naar Algeciras en zag om naar Tanger. Ik had het gevoel dat als ik nog een week was gebleven er op dezelfde onverwacht terloopse manier manuscripten en brieven van Kerouac, Burroughs en Capote boven water waren gekomen.

Het fraaist zijn de brieven van en aan Mohammed Mrabet. Hij krijgt brieven van amigo Stettner uit New York over de dood van Henry Miller (op briefpapier van *Stroker magazine* met onderaan een spreuk van Henry

Miller: 'Keep on painting and writing. They will hear of you in Kathmandu before they do in L.A. or Buxtehude. No matter. Fuck 'em all!'); *It wasn't such a great shock since Henry wrote me a few weeks before, telling me that it was forthcoming (almost predicting it to the day). But you should know that he passed away fairly peacefully, Saturday afternoon, just as he was about to go to bed.* Via een onopvallend winkeltje in een achterafstraatje in Tanger zit ik opeens op de eerste rij bij het toneel van de wereldliteratuur.

Zelf vangt Mrabet brieven aan met het plezierige: 'Amigo Cowboy!' Ik weet niet wie die Amigo Cowboy is. Ik wil graag geloven dat het William Burroughs is (sommige brieven heffen aan met 'Dear Bill'), omdat die wel iets van een cowboy had - wapens, hoeden -, maar tegelijk toonde Burroughs weinig affiniteit met de Arabische cultuur, dus waarschijnlijk is dat niet. Burroughs kwam eigenlijk alleen voor de jongens en de drugs naar Tanger. Henry Miller is waarschijnlijker. *Amigo Cowboy: here I am, in perfect health, full of kif and hundreds of stories. But sad. Why? Because of my passport. When they give that to me, I believe I'll make a short trip to America, and pass through Hollywood. Paul has promised to give me English lessons some day. So I can learn to speak and write a little. Then I'll arrive in Hollywood and be a moviestar.* Vaak typte Paul Bowles de brieven voor Mrabet. Mohammed Mrabet, boordevol verhalen, kon niet schrijven.

Ontluisterend zijn de brieven van 'George Robert Minkoff Rare Books' aan Paul Bowles, waarin onderhandeld wordt over de prijs die

hij betalen wil voor de brieven van Charles
Henry Ford (48 brieven en 31 briefkaarten),
James Purdy (30 brieven en een telegram) en
Tennessee Williams (19 brieven en een
telegram) die Bowles te koop heeft aangeboden.
Ik heb de brieven ingelijst en in de wc aan
de muur gehangen om aan de nederige positie

van de schrijver herinnerd te worden.
Minkoff: *I think the Williams material is quite
wonderful. The Ford material is interesting
and the Purdy material, as you mentioned in
your letter, is somewhat disappointing, but still,
I believe it does have a certain market value.*

Bowles, wereldberoemd, was niet alleen
gedwongen de correspondentie met vrienden
in de uitverkoop te doen om te overleven,
maar daarna werden ook nog eens, voor een
liquidatieprijs, de brieven over die verkoop
van de hand gedaan. Of achterovergedrukt en
verpatst door een van de huisvrienden, dat
kan ook. Geen van beide is vrolijk stemmend.
'A certain market value,' zo wordt er over
je gesproken als schrijver - tenminste als je
geluk hebt.

Tussen de manuscripten en brieven zat ook
een vergeeld Cultureel Supplement van NRC
Handelsblad. Op de boot las ik dat. In dat tien
jaar oude interview vertelt Bowles wóórdelijk
hetzelfde als wat hij aan mij vertelde. Al
jarenlang vertelde hij liggend op een matras
in Tanger hetzelfde verhaal! Dat is schoonheid.
Nog geen jaar later overlijdt Paul Bowles. Ik
ben een van de laatsten geweest in een lange
rij die het verhaal, over muziek, over Parijs,
over Gertrude Stein, heeft horen vertellen.

Als bedevaartstocht was deze het rijkst
beloond: Bowles gesproken en mijn tas gevuld

met brieven en manuscripten. Het is toch een beetje alsof je uit Lourdes terugkomt niet alleen met jerrycans vol heilig water, maar ook nog met enkele haarlokken van het herderinnetje. De ontdekking achteraf dat Bowles' conversatie volledig op de automatische piloot ging, gaf een mooie looping aan de tocht. Het rondzingen van steeds hetzelfde verhaal. Een oneindige cirkel, waar begin en eind naadloos in elkaar overlopen. En zo moet het zijn.

Is het hoogtepunt van iedere reis niet op het perron te staan, klaar voor vertrek? Laat ik clichés over de reis en het doel vermijden - op de oprijlaan naar het huis van Salinger werd helder waar het om gaat. Naar aanleiding van dat stuk over J.D. Salinger in NRC Handelsblad kreeg ik een serie brieven. In een straal van enkele kilometers om Salingers huis blijken relatief veel Nederlanders te wonen, die door hun Nederlandse familie af en toe bezocht worden.

Uit een van de brieven: *'s Morgens rijden we in de sneeuw de heuvel af. Mijn zwager stopt als een man op zo'n kleine tractor, die je ook voor sneeuwblazen kan gebruiken, van de andere kant komt en begint een gesprek over tractoren. De tractorbestuurder is niet erg mededeelzaam. Hij is een tanige, oudere man die niet echt toeschietelijk is. Wij wachten in de bus tot mijn zwager eens wat opschiet. Deze komt met tevreden smile terug achter het stuur en zegt: 'Guess who this was?' U raadt het al: thé J.D. Salinger.*

Er zijn dus landgenoten die beduidend succesvoller zijn, terwijl ze niet eens op zoek zijn. Wat natuurlijk het geheim is. Zoals

Picasso over Pepín Bello zei: 'Hij zoekt niet, hij vindt.' Dat is wat ik nu ook probeer. En het werkt. Sinds ik niet meer zoek, ben ik meer over mijn mythische oudoom Chuck te weten gekomen dan in alle jaren daarvoor. Waarbij ik wel het geluk heb dat Chuck in zijn studententijd in Delft als eerste begonnen is Harley Davidsons naar Nederland te importeren en er nu een man is die zich als een pitbull in de Harley Davidson-geschiedenis van Nederland heeft vastgebeten. Chuck was twintig toen hij het importcontract bij Harley Davidson wist los te peuteren.

Het is aan de Harley Davidson-onderzoeker te danken dat we nu weten waar Chuck geëindigd is. Daar is een correspondentie met een eenentachtigjarige begrafenisondernemer van Geesling Funeral House in Alpine, Texas uit voortgekomen: *As I write this it is 2:00 pm in Alpine. About an hour ago I was standing at the foot of a grave in Elm Grove Cemetry. The headstone has the following inscription: CHARLES STORK. 1966 ... The grave of Charles Stork is in Block 3 Lot 6 space 12 of a twelve space lot. Most of the other spaces in this area are in use as singles, but some adjacent spaces are occupied by man and wife. Space 11, next to Charles Stork, has a marker inscribed BABY UNKNOWN. I don't know if there is any connection between the two graves.*

Een maand later schrijft de President of the Alpine Cemetry Association opnieuw. Hij heeft foto's gemaakt van het graf: *The pictures didn't turn out as good as I had planned. Combining my minimum photography experience with faulty equipment doesn't result in award winning photos... The original marker did not*

have Mr. Storks date of birth. I added it after
getting the information from you. Shots are the
before and after conditions. Vijfendertig jaar na
zijn overlijden is aan Chucks grafsteen
door een empathische eenentachtigjarige oud-
begrafenisondernemer het geboortejaar 1893
toegevoegd. Zo is het verlies van de foto's van
Chuck in de trein Boekarest-Boedapest een
klein beetje ingelost.

Ondertussen blijf ik een onverbeterlijke
romanticus: terwijl de realiteit het kleinste
formaat grafsteen op een kaal veld in Texas is
- waar het zo droog is dat het gras er niet
eens wil groeien - blijf ik dromen van een wit
huisje op het strand van Tamiahua of San
Juan Evangelista en een oude oliedrum om vis
op te grillen. Het verlangen naar elders, waar
dit boek uit voortgekomen is.

Jaap Scholten
14 juli 2001

De Oekraïne

Ik loop met een schoudertas de trap af als de bel gaat. Door het smalle voordeurraam zie ik een blauw uniform.

'Goedemorgen, reinigingspolitie. Bent u Jaap Scholten?'

'Ja, wat is er aan de hand?'

'Is dit van u?'

Het is een vaalblonde man met een zo onbetekenend en uitdrukkingsloos gezicht dat het griezelig is. Hij houdt een grijze vuilniszak in de lucht en kijkt erbij alsof hij me het ontzielde lichaam van een langdurig gemartelde poedel toont. Schuin achter hem, twee treden lager, op het grind, staat een tweede man in eenzelfde uniform. Hij heeft chirurgenhandschoenen aan.

'Zou kunnen, weet ik niet.'

'Laat ik het anders stellen: hebt u vanmorgen deze vuiliszak buitengezet? Zoals iedere inwoner hebt u een brief gekregen dat de vuilnis niet langer op maandag maar op dinsdag wordt opgehaald.'

'Meneer, ik moet de trein van negentien over halen, ik moet zo meteen met het vliegtuig naar Kiev.'

Ze kijken me geringschattend aan - me in deze compromitterende situatie van den domme houden! Wat een lef! De vaalblonde zet de vuilniszak voor mijn neus en knikt naar de ander. Die stapt naar voren, steekt een hand in de zak en haalt er een sinaasappelschil en enkele papieren uit. De schil gooit hij terug. In zijn behandschoende hand houdt hij een stapeltje met eten besmeurde enveloppen.

'Jaap Scholten, Jaap Scholten, Jaap Scholten,' zegt hij triomfantelijk. 'Wat is uw geboortedatum?'

Ik duw de voordeur dicht en verlaat door de achterdeur mijn huis. Via de achtertuin van de buren kom ik nog precies op tijd om de trein van negentien over te halen.

De voornaamste reden dat ik naar de Oekraïne wil is Odessa te bezoeken, de stad van schrijver Isaak Babel. De joodse Babel meldde zich in 1920 onder valse naam als oorlogscorrespondent aan bij generaal Boedjonny's Eerste Cavalerieleger. Nadat zijn leermeester Maxim Gorki hem had gezegd dat hij zich in het echte leven moest begeven, wilde hij een schrijver worden die wat waard was. Onder de naam Kirill Vasilievich Ljoetov leerde hij paardrijden en galoppeerde hij met de moordende, rovende kozakken mee in de Poolse Veldtocht. Hij schreef er het meesterwerk *Rode Ruiterij* over. Babel hield er de rest van zijn leven een intense liefde voor paarden aan over.

In de lucht boven de Oekraïne moet ik een *Customs declaration* invullen; hoeveel stuks bagage ik heb en of ik kunst, drukwerk, antiek, wapens, munitie, explosieven, radio-actieve materialen of gif bij me heb. Vragen die naadloos aansluiten bij het imago van de Oekraïne.

Op het vliegveld pak ik een *Kiev Post*: 'Anthrax outbreak', in het dorp Tsjervone iets ten noorden van Kiev. Drieëndertig koeien en drie paarden zijn gestorven en drie mensen in het ziekenhuis opgenomen (de eerste symptomen: zweren en ademhalingsmoeilijkheden). Drie mannen zijn aangehouden wegens het verkopen van met miltvuur besmet paardenvlees. Verder moet de opdrachtgever van de moord en onthoofding van de jonge god en journalist Georgi Gongadze zéér dicht bij president Kuchma gezocht worden.

Alles lijkt groot in de Oekraïne: de wegen, de bossen, de velden, de mannen, de vrouwen, zelfs het hotel is kolossaal. Onze kamer is op de tweeëntwintigste verdieping. Het raam is een schuifraam dat geheel open kan, zodat alleen een kniehoog muurtje je scheidt van de zuigende diepte. In de verte ligt Kiev op de heuvels. De gouden uivormige koepels van kerken en kloosters schitteren in de zon.

We gaan met de bovengrondse ondergronds naar het Hydropark op het eiland Troeganov in de Dnjepr. In de metro voel en ruik je de armoede. In een van de inhammen ligt een oud passagiersschip dat als café fungeert, kettingen houden het ding overeind. We schuiven aan aan een tafeltje op het bovendek. We zijn de enige klanten. Een meisje in een kort zwart rokje komt vragen wat we willen. De zon brandt neer. Op de blanke zandstranden liggen mensen te bakken. Sommige stukken strand zijn met hoge hekken afgezet en behoren waarschijnlijk nog steeds toe aan een ministerie of industrie.

Het sovjetsysteem was er een dat de promiscuïteit stimuleerde. Man en vrouw gingen gescheiden met vakantie, metaalwerkers naar het metaalwerkerssanatorium, ambtenaren naar het ambtenarensanatorium. Het gezin als eenheid moest niet te hecht en te sterk worden. Kinderen die hun ouders verraadden waren helden van het volk, voorbeelden voor allen. In de Oekraïne is het niet raar om op je achtentwintigste in je derde huwelijk te zitten. Het eerste is om van huis weg te komen, het tweede omdat je verliefd bent, het derde houdt wellicht stand uit pragmatische overwegingen. Achter het schip ligt een man in zwembroek voor dood in het zand. Twee dronken zwervers proberen hem grinnikend om te draaien. In zijn slaap mept de man halfslachtig om zich heen zoals je dat doet naar een vlieg. Hij is delirisch en heeft kennelijk geen portemonnee of spullen van waarde bij zich. De zwervers trekken met opgestroopte broek door het water wadend verder, als twee vrolijke krokodillen op jacht naar de volgende badgast.

Onder het zeil dat ons uit de zon houdt hangen slierten lampjes. We drinken en luisteren naar het vredige gepruttel van dieselmotoren op het water, het verre geschreeuw van kinderen op de stranden en het vervormde geluid van transistorradio's. In een prachtige ranke oude speedboot varen de mannen van de reddingsbrigade over de kreken en roepen door een luidspreker zwemmers die te ver het water in gaan, tot de orde. Als ik me ooit gelukkig heb gevoeld, dan is het wel op dit moment híér te zitten.

Misschien moet ik in Kiev gaan wonen en me aanmelden bij de Kievse reddingsbrigade. Ze hebben een lichtblauw geverfde woonboot met twee verdiepingen als clubhuis. Het ademt de atmosfeer van een studentenhuis of een piratennest. Wat zou ik me thuisvoelen tussen de jongens. Voor Oekraïense begrippen kan ik verschrikkelijk goed zwemmen, ik zou de bink van de Kievse reddingsbrigade zijn. Sjolten de dolfijn.

Het is eind juli. De cocktail van alcohol en zwemmen heeft dit jaar al 1431 slachtoffers gemaakt. Alleen deze maand zijn er 733 mensen verdronken. Op 8 juli, op Ivana Kupala, een pre-christelijke feestdag, verdronken er eenenvijftig mensen. De bijna-drenkelingen die door de kustwacht gered worden, zijn in negen van de tien gevallen stomdronken. De gemiddelde drenkeling heeft ten minste vier biertjes op, daaroverheen wodka.

De reddingsbrigade vaart met loeiende sirene uit, de neus van de boot wordt ver boven het water uitgetild. Ze zijn met z'n zessen. 150 meter voorbij ons draaien ze richting het strand. Vol gas stuiven ze op het afgeladen strand af, het moment waar ze al de hele dag op hebben zitten wachten. Ze vliegen niet met 50 kilometer per uur het strand op, zich een vore ploegend door het lillend vlees, maar komen vlak voor het zand tot stilstand. Mijn toekomstige collega's springen in het enkeldiepe water en sleuren een mannenlichaam naar zich toe. Vrij onsubtiel wordt het de boot in gewerkt en op de voorplecht neergekwakt, nog net niet met touwen vastgesjord. Daar is ook geen tijd voor, want de speedboot gaat alweer vol gas terug naar het clubhuis. Twee man houden de levenloze bij de polsen om te voorkomen dat hij van het dek stuitert. Niemand die de man probeert te reanimeren. Het lijkt meer op een kidnapping dan op een reddingsactie. De man ligt op de voorplecht als een dikke gevangen vis.

In het centrum van Kiev wachten we onder bamboe parasollen op een terras met verlichte vijvers en klaterende fonteintjes op Kyrill Kravchenko, vriend van vrienden. Kyrill, kunstenaar die zijn geld verdient met het ontwerpen van nachtclubs voor de maffia, zal ons vanavond Kiev laten zien. De drank wordt verkocht tegen Champs-Elysées-prijzen. De aanwezige vrouwen zijn bloedmooi, maar hebben iets waardoor ik bang voor ze ben. Misschien zijn het de bijbehorende mannen. Die knallen zowat uit elkaar van het testosteron. Ze zijn kaal of kortgeschoren, lopen strak in het zwart, met zonnebrillen op en hebben nekken als stieren. De vrouwen dragen kleren van Versace, Chanel, Dolce & Gabbana. Langs de straat staan zwarte Mercedessen met getint glas geparkeerd, de mannen blijven zo veel en lang mogelijk in de buurt van de auto's rondhangen en klikken deuren en alarm vaker dan noodzakelijk aan en uit. Dit is niet een plek om autospiegeltjes te verbuigen.

Een grote vent van bijna twee meter maar dun als een junk in een flamboyante outfit nadert, hij wordt begeleid door twee beesten van kerels. Het is Kyrill. We geven iedereen handen. De twee mannen zeggen niks en zijn geen moment niet op hun hoede. Na één wodka, zonder een woord gezegd te hebben, vertrekken ze. Ze lopen met roofdierachtige gratie.

'Your bodyguards?' vraag ik.

'No! Friends!' zegt Kyrill streng. Hij gaat naar de wc en komt na een tijdje monter terug. We gaan verder, naar de Al Capone. Kyrill lijkt aan de diarree, de halve avond zit

hij op de plee, maar stuitert van de energie.
Met een auto vol dronken kunstenaars rijden
we wat later die nacht naar het Hydropark.
Als je in de Oekraïne een overtreding maakt,
krijg je een stempel in je rijbewijs (tenzij je
het afkoopt). Bij drie stempels ben je je rijbewijs kwijt. Ik zit voorin naast Kyrill. Een

poging om mijn riem vast te maken wordt
ervaren als een rechtstreekse belediging.
Zo'n stuitend gebaar van wantrouwen heeft
hij blijkbaar lang niet meer meegemaakt.
Zijn rijstijl is sportief suïcidaal. Bij een stoplicht steekt een van de jongens op de achterbank zijn middelvinger op. Even later, op de
brug over de Dnjepr, worden we klemgereden
tegen de reling door een afgeragde Wolga.
Een man stapt uit, steekt zijn arm door het
open raam - ook 's nachts is het tropisch
warm - pakt de jongen bij zijn kraag en mept
hem één maal hard op zijn gezicht. Dan loopt
hij terug naar de Wolga en rijdt verder.

Bij het Hydropark is het volkser, en honderd keer goedkoper, dan bij de Brasilia, de
Synamo Luxe en Desperado. Er zijn een stuk
of tien buitendisco's. Het is half drie 's nachts
op een willekeurige maandagavond en stamp-
vol. De jongens die met ons meereden zijn we
ogenblikkelijk kwijt. De muziek is een men-
geling van snoeiharde rap en nationalistische
rock. Bij ieder Oekraïens nummer stroomt de
dansvloer vol en wordt er uit volle borst meegezongen. Bij rustige nummers wordt er massaal meegefloten. Veel jongens dansen in hun
blote bast, wat me het gevoel geeft bij de ini-
tiatierite van een inheemse stam beland te
zijn. Ze zijn gespierd, met hoekige, krachtige
koppen. Een tomeloze energie en doodsver-

achting stralen ervan af. De vrouwen zijn
zoveel vrouw dat ze verder niks zijn.

Kyrill blijft ons volgieten met wodka en
neemt ons mee naar een overdekte discotheek. We gaan een hoog gebouw in dat er
uitziet als een groenteveiling. Van een metalen buitentrap wordt een jongen naar beneden gegooid. Als een zak aardappelen ploft
hij onder aan de trap op de stenen. Twee kle-
renkasten in strakke zwarte T-shirts komen
de trap afgedribbeld en beginnen op de
bewegingsloze jongen in te trappen. Ik blijf
staan, Kyrill loopt door.

De kale kerels trappen met hun legerkist-
jes doodgemoedereerd in op de nieren van de
jongen. Het zijn weldoordachte, gerichte trappen, bedoeld om iemand vanbinnen kapot te
maken. Isaak Babel laat Matjew dit zeggen in
'De lotgevallen van Matwej Rodionytsj
Pawlitsjenko': 'Met een kogel, daarmee kun
je je alleen maar van een mens bevrijden…
met een kogel raak je de ziel niet, en niet de
plek waar die zetelt, en niet de manier waarop ze zich voordoet. Maar ik spaar mezelf
niet altijd, het komt wel voor dat ik mijn vij-
and een uur, of langer dan een uur, met mijn
voeten in elkaar trap, omdat ik het leven zo
graag doorgronden wil en hoe het er bij ons
eigenlijk uitziet.'

Ik tik een van de kerels in het zwart op de
schouder. Hij draait zich om en wil direct uit-
halen. Ik doe een stap naar achter, steek twee
handen in de lucht: 'What are you doing?!
You'll kill him.'

'He didn't pay,' zegt de man en gaat door
met trappen.

'How much?' zeg ik.

'Fifty.'

Ik betaal. De mannen verdelen het geld en slingeren als chimpansees naar boven naar de ingang van de aldaar gelegen discotheek. Misschien ben ik te welvarend en te zwak om ooit een serieus schrijver te worden. Doortrappen om het leven te doorgronden. Kyrill komt terug. Ik vraag hem me te helpen de jongen van de grond te tillen. Hij pakt me bij mijn arm, sleept me mee en zegt: 'Een vrouw die geen moeilijkheden heeft koopt een varken.'

Bij de groen uitgelichte bar slaat hij enkele mensen op de schouder. We drinken bloody mary's. Eerst wordt tomatensap in het glas gegoten, dan wordt de wodka met een maatbekertje heel nauwkeurig afgemeten. Langs een mes wordt de wodka in het glas gegoten zodat de wodka als een doorzichtige laag boven op het sap blijft liggen. Na drie bloody mary's sleept Kyrill ons mee een trap af. Hij duwt een deur open en we komen in een orgielabyrint terecht. Er is een bubbelbad, een sauna, een zwembadje, enkele met skai overtrokken ligplekken.

'I designed all this. It was my first job!' Kyrill kijkt ons stralend aan. 'For seventy dollars you can rent it.'

'Very nice, very nice,' zeggen we terwijl we met onze vlakke hand over het witte skai strijken. Kyrill doet de deur op slot en snuift wat. Dan moeten we mee een deur verder. Ik voel een zekere opluchting het badhok uit te mogen. De volgende ruimte is een variant van de vorige ruimte, alleen is hier alles in zwart skai uitgevoerd.

'This is the black room!' zegt Kyrill. 'The

white room and the black room, like day and night. Very different, very different experience.'

'Yes, yes,' zeg ik. Ik hoor de fotograaf zeggen dat het briljant is. Kyrill glimt van trots. We keren terug naar de bovenwereld.

Om negen uur 's morgens komen we in een eeuwenoud nonnenklooster terecht. Een verscholen oase midden in de stad met duizenden bloemen. Nog zestien stokoude nonnen zijn overgebleven. Er is een bron met heilig water dat al decennialang in jerrycans mee naar huis wordt genomen vanwege de magische kracht. Bij de pomp verdringen zich mensen. Een oude vrouw tovert gebruikte plastic flessen te voorschijn uit een smoezelige tas en verkoopt die aan de omstanders. Tussen de bloemen, die het geheel een paradijselijke atmosfeer geven, kruist af en toe één van de zestien nonnen. In versleten zwart en met kromme rug geheel uitbeeldend hoe mijn zoon zich een heks zou voorstellen.

We zitten op een bankje in de zon met onze rug tegen een witte kerkmuur en kijken naar het devote gehamster bij de pomp. Recent heeft een geologisch onderzoeksbureau monsters genomen om te kijken of de magie wetenschappelijk gestoeld kon worden. Het water bleek radioactief. Op de bank naast de pomp zitten twee tandeloze zwervers te lachen, zichtbaar in harmonie met het leven. Ik stel me voor hoe thuis de jerrycans worden opengeschroefd en het water over de kwijnende ledematen van geliefden wordt gesprenkeld.

Mijn moeder zorgde enkele jaren voor een eenzame Oekraïense, die tijdens de revolutie was gevlucht en in een verzorgingsflat in het oosten van Nederland was terechtgekomen. Voor een Rus of een Oekraïener moet het welhaast onmogelijk zijn je ooit fysiek op je gemak te voelen in zo'n klein land. Babuska was even deftig als bijgelovig. Ze verzocht mijn moeder haar begrafenis te organiseren. In de flat woonde nog een Russische dame, maar die werd niet eens aangekeken. Ook was er in de provinciestad een gemeenschap van gevluchte Russen, aan wier bridgedrives Babuska meedeed, maar die niet de eer van haar begraafverantwoordelijkheid kregen. Babuska's lijfspreuk was: 'Geen man is te vertrouwen.' Al jaren voordat het zover was gaf zij mijn moeder precieze aanwijzingen. De patriarch moest uit Brussel komen. Maar het belangrijkste: ze wilde in een speciaal voor dat doel aangeschafte witte kanten japon in de kist liggen, met haar gebit in. Het mocht desnoods ook het gebit van haar man zijn.

Op een ochtend vroeg stierf Babuska. Het duurde uren voordat de patriarch, Vladika Vladimir, arriveerde. Hij had een lange baard en een paardenstaart. De flat was schemerdonker. Het bed waarin Babuska op haar rug lag werd omringd met kaarsen. Vladika Vladimir begon te zingen. Vijf uur lang zong hij en zwaaide met wierook. Het was zo mooi dat mijn moeder zich tot de orthodoxe Kerk wilde bekeren. Nadat Vladika Vladimir zich had teruggetrokken, kwam de voorzitster van de Russische gemeenschap. Ze zei dat je iemand absoluut niet in een wit gewaad kon begraven, dat was tegen alle regels en gebruiken in. In heel Rusland inclusief de Oekraïne gebeurde dat nooit, nooit. De zoon

van Babuska die uit Australië naar Nederland gevlogen kwam, zou een rolberoerte krijgen.

Per auto gaan we van Kiev naar Odessa.
De reis door het onmetelijke landschap doet
me sterk denken aan Afrika - de eindeloze
ruimte, het licht, het mistige aan de horizon,
de geur van houtvuur, het geharrewar van
mensen en kleine handeltjes bij de bushaltes.
Het wordt donker. Aan weerszijden van de
weg worden de stoppels van geoogste akkers
gebrand. De honderden vuurtjes op de heuvels maken de indruk dat een immens Turks
leger zijn tenten heeft opgeslagen. Zodra we
midden in de nacht Odessa binnenrijden door
broeierige platanenlanen weet ik het: dit is
mijn stad. Havensteden passen bij mijn
onrust. Ik ben op slag verliefd.

Geen stad ter wereld die zoveel aan het
embargo op Servië heeft verdiend als Odessa.
Een Nederlandse delegatie wilde Odessa helpen met hetzelfde geavanceerde containerre-
gistratiesysteem dat in Rotterdam wordt
gebruikt, maar de havenmeester - de ware
koning van Odessa, zoals Benja Krik dat was
in de tijd en de fictie van Isaak Babel - toonde weinig enthousiasme. In Odessa wordt het
echte geld 's nachts verdiend, als de containers met wapens en de ladingen olie heen en
weer geschoven worden. Overzicht en de
mogelijkheid tot traceren is wel het laatste
waar men behoefte aan heeft.

Odessa was de eerste stad in het tsaristi-
sche Rusland waar joden zich vrij mochten
vestigen. Een kosmopolitische stad waar de
voertaal Italiaans was en veertig procent van
de bevolking joods. Sinds Oekraïne een apar-

te staat is geworden en Odessa onder de
Oekraïense knoet moet leven, is men in
Odessa minder gelukkig. Veel mensen zijn
naar Israël gegaan - om daar vaak nog onge-
lukkiger te zijn. De grote literatuur, van
Poesjkin, Paustovski, Babel moet in het
Oekraïens worden omgezet, zoiets wanneer

wij Hermans, Reve en Nescio alleen nog in
het Fries zouden mogen lezen. Niet dat *De
tsjustere keamer fan Damocles* voor mij
genoeg reden zou zijn naar Israël te verhui-
zen, maar toch; het bekrompen provincia-
lisme riekt je in het gezicht.

De Odessianen voelen zich speciaal. De
humor is erg Jiddisch. Isaak Babel hield
ervan om door de stad te zwerven en de grappen en de taal van de straat te horen, met
vissers en de groenteboer te ouwehoeren. Een
verhaal moest van Babel de beknopte preci-
sie hebben van een legerorder of een bank-
cheque. De publicatie van de *Rode Ruiterij* in
1926 maakte hem tot de beroemdste schrijver
van Rusland. Later viel hij bij Stalin in onge-
nade. Op 15 mei 1939 werd hij gearresteerd.
Zijn bril bleef thuis liggen. Zonder bril zag
hij nauwelijks iets. Zijn vrouw wilde hem die
nabrengen, maar de NKVD-agenten zeiden dat
dat niet nodig was. Onderweg naar de
Lubljanka, de gevangenis waar hij zijn einde
zou vinden, had Babel nog de kracht om
tegen de agenten van de geheime politie te
zeggen: 'Jullie krijgen ook niet veel slaap
hè?' Babel werd drie dagen achter elkaar verhoord en gemarteld om hem tot onzinnige
bekentenissen te brengen. De ondervragers
heetten Kuleshov en Schwartzmann (what's in
a name). Het verhoor verliep op kafkaëske

wijze: 'U bent gearresteerd wegens zware anti-sovjetactiviteiten. Bekent u schuld?'

'Nee.'

'Hoe kunt u deze verklaring van onschuld rijmen met het feit van uw arrestatie?'

Na een kort showproces werd hij op een nacht om half twee doodgeschoten. Een van de weinige dingen die van Babel bewaard zijn, buiten de weergaloze verhalen, is zijn bril, die te zien is in het literatuurmuseum van Odessa.

Babuska lag met haar eigen gebit in en met de zwarte jurk aan, zoals door de voorzitster van de Russische gemeenschap was bepaald, opgebaard. Wat de voorzitster niet wist, was dat Babuska onder de zwarte jurk de witte kanten japon droeg. Alleen de kraag sprong bij de hals trots onder het zwart vandaan. In de orthodoxe Kerk vindt de dienst plaats met open kist, pas als ie de grond in gaat, wordt het deksel erop geschroefd. Die was onvindbaar. Mijn moeder vroeg Vladika Vladimir door te zingen tot de zenuwachtige begrafenisondernemer het deksel had. Daarmee werd de dienst voor de mooie Babuska langer dan de paasmis.

'How to make a good thing out of a bad thing,' zoals een vrouw in Odessa tegen me zei: dat is de kunst die men hier verstaat. Daar komt natuurlijk alles op neer. Die fatalistische veerkracht is prachtig.

Ik zit op een bankje bij de Primorski Boulevard, onder mij leidt de Potemkintrap naar de Zwarte Zee. Een schandalige fallus - die er niet anders dan met heel veel smeergeld neergezet kan zijn - van de Kempinski-hotelketen ontneemt een deel van mijn uitzicht, maar het besluit is genomen.

Ik blijf in Odessa. Ze mogen hier schrijvers doodschieten en journalisten onthoofden,
ik wil nergens anders zijn. Ik bekeer me tot
de Russisch-orthodoxe Kerk - ik wil dat men
urenlang zingt boven mijn levenloze lichaam
en wierook slingert - en koop het appartement van de buikdanseres.

211   Vaarwel.

Verantwoording

'Zelda - vertel me hoe te leven' verscheen
in november 1995 als bibliofiele uitgave in
de Zilverlindereeks van P3 in een oplage
van 99 genummerde en door de auteur
gesigneerde exemplaren. 'Witte kerst' werd
gepubliceerd in *Elegance* december 1996;
'Hollywood Mama' verscheen onder de titel
'Juan calls this picture his Hollywood Mama'
in *MAN* juli-augustus 1996; 'Dracula was een
vrouw' onder de titel 'Op zoek naar de bloedgravin' in *NRC Handelsblad* 16 juni 1994; 'J.D.
Salinger has the right to be left alone' in *NRC
Handelsblad* 14 december 1993; 'Drie brieven
uit Hongarije' in *RAILS* nr. 11, 1997; 'U zult
een man in mij vinden' in *De Groene
Amsterdammer* 4 februari 1998; 'I never took
heroin' in *RAILS* maart 1999; 'Geen stad voor
getrouwde mannen' in *RAILS* nr 10, oktober
1998; 'Gate-crashen bij de tsaar' als speciale
uitgave van Heineken, zomer 1998; 'Het
geheim van de Residencia' in *AD Magazine* 13
januari 2001 en 'Op safari in Transsylvanië'
in *RAILS* oktober 2000. De citaten in
'Hollywood Mama' zijn afkomstig uit *Citizen
Hughes* van Michael Drosnin, Hutchinson,
Londen 1985; de citaten in 'U zult een man in
mij vinden' uit *De bloedgravin* van Tony
Thorne, vertaling Marcella Houweling, uitgeverij Luitingh~Sijthoff, Amsterdam 1998. Bij
het schrijven van *Het geheim van de
Residencia* is gebruik gemaakt van *Mijn
laatse snik* van Luis Buñuel, *Uren met Buñuel*

van Max Aub en *Luis Buñuel* van Francisco
Aranda, allen uitgegeven door Meulenhoff,
Amsterdam.

Aan de tweede druk van deze bundel werd het
verhaal 'De Oekraïne' toegevoegd.
Dit verhaal verscheen eerder in het tijdschrift
RAILS, april 2002, en in de verhalenbundel
*Reizigers. De beste Nederlandse en Vlaamse
reisverhalen van 2002*, samengesteld door
Rudi Wester, uitgeverij Contact, Amsterdam
2003.

Ruïne van het slot van de bloedgravin bij Čachtice, Slowakije, waar zij werd betrapt en waar zij stierf.

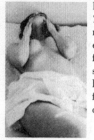

De foto van meisje op bed lag los in *The dream of a girl dying in Peru*, een roman die ik jaren geleden kreeg van een Antwerpse, door het werk van de filosoof George Bataille beïnvloede schilderes. Wie de foto als boekenlegger in het boek heeft gedaan, wie de foto heeft gemaakt en wie de vrouw op de foto is, is mij onbekend.

De advertentie voor The orange tree transformation is afkomstig uit de catalogus 'Stage Illusions Extraordinary' van John G. Hauff. De kunst een vrouw om te toveren in een sinaasappelboom en vice versa is voor een ieder binnen handbereik, want te koop. 'Really a great effect and a modern success.'

Dit kiekje van Chuck als jongeman voor een Spijker is waarschijnlijk gemaakt kort na de Eerste Wereldoorlog. Zijn houding heeft een gedweeheid die op latere foto's plaats maakt voor de zelfverzekerdheid van de tycoon en de ongeduldige huistiran. Tot mijn grote plezier vertoont oom Chuck uiterlijk grote overeenkomst met de door mij bewonderde dichter-bokser en voorloper van de dadaïsten Arthur Cravan. Cravan, zes jaar ouder, die enkele jaren voor Chuck eveneens naar Amerika vertrok 'omdat hij liever de kaken van yankees verbrijzelt dan zelf zijn ribben door een Duitser te laten breken.' Chuck en Cravan hebben dezelfde zware schedel, geprononceerde neus, gevoelige mond, dragen dezelfde maatpakken van keurige jongens van de oude wereld en stralen beiden de zachtheid van reuzen uit. Zo ver ik weet heeft Chuck nooit gebokst. Cravan vestigde zich in Mexico en verdween met een roeibootje de Golf van Mexico op terwijl zijn zwangere echtgenote hem uitzwaaide. Ook Chuck liet een vrouw met klein kind in Mexico achter.

Dit portret (datum onbekend) van Erzsébet Báthory met de wat lodderige blik bevond zich in het dorpsmuseum in Čachtice. De eerste keer, in 1990, dat ik daar kwam was het museum, een afgeleefd schoolgebouw zonder enige beveiliging, gesloten en het schilderij net enkele weken daarvoor gestolen. In Čachtice is men ervan overtuigd dat het in opdracht van Italiaanse kunstrovers is gebeurd - complottheorieën doen het nog altijd goed rond Nitra. Mij lijkt het niet uitgesloten dat een verveelde dorpeling na bezoek aan het café op de hoek (in Hongarije wordt op het platteland geen flessen spiritus verkocht omdat het anders ogenblikkelijk achterovergeslagen wordt, in Slowakije is de situatie waarschijnlijk niet beter) via een raam het museum is binnen gestommeld, de grootste trofee aanwezig onder zijn arm heeft genomen en het portret van de bloedgravin nu dienst doet als afscheiding in een varkenskot of kippenhok in de omgeving van Čachtice.

Foto van tot *collectors item* geworden boekomslag uit Salingers jonge jaren toen hij zich nog niet als kluizenaar in Cornish had opgesloten en het nog een goed idee vond met een foto op het achterplat te staan (een halve eeuw geleden, 1951).

Deze foto van een Boedapester binnenplaats, gemaakt zomer 1997 door
Edwin Walvisch, verbeeldt de magie
en het onverwachte van het leven in
Hongarije, een land waar nog niet alles
af is.

Dit enigzins onscherpe
maar krachtige beeld is
afkomstig uit het dorpsmuseum in Čachtice. Daar
hangt een reproductie van
het schilderij van Csók
István uit 1895. De tweede
maal dat ik in Čachtice kwam, vergezeld door een cameraploeg van de NPS, werd het museum voor ons geopend. De
gravin ligt onderuitgezakt, met de loomheid van een mug die
zich met bloed heeft volgezogen. Haar volgelingen slepen
tegenstribbelende naakte meisjes naar haar toe, een rij
vunzige oude baasjes kijkt vanaf de kant toe. Dit schilderij
verbeeldt in optima forma de mythe van de bloedgravin.

Paul Bowles in zijn ziekbed in Tanger,
een jaar voor zijn dood. Foto gemaakt
door Dave Gray, oktober 1998. Links
van Bowles bevindt zich het enige,
compleet afgedekte raam van de
kamer. Ik heb in mijn handen een foto-
boek over Tanger met begeleidende
tekst van Paul Bowles. In het vrij kleine
huis liepen, buiten ons, twee mensen
rond, een man die zich gedroeg als
portier (de bodyguard, de persoonlijk
secretaris?) en een huishoudster. Het interieur deed ver-
moeden dat de patiënt niet met veel zorg omringd werd. De
gemiddelde studentenflat oogt als een franziscaner klooster-
cel vergeleken bij de sterfkamer van Bowles.

Groothertogin Tatjana gefotografeerd door haar vader. Tijdens het in dit verhaal beschreven bezoek aan Moskou zag ik in een enorme oude fabriekshal de tentoonstelling 'Nicholas II. The Family Album'. De dochters van de laatste tsaar Maria en Tatjana waren schoonheden. Op een enkele foto roken ze een sigaretje, vaak liggen ze in lange witte jurken in het gras. De dochters Olga en Anastasia ogen minder spannend.

Vooral Olga kijkt achterdochtig, misschien was zij de enige van de familie die besefte wat hun te wachten stond. Heel Rusland wist dat er een revolutie aan zat te komen, alleen voor de tsarenfamilie kwam het als een verrassing. Foto afkomstig uit de Staatsarchieven van de Russische federatie.

Tsaar Nicolaas II, zijn dochter groothertogin Anastasia en ingegraven kroonprins Alexej, zomer 1912. De laatste tsaar was een fervent fotograaf van familiekiekjes. Van de foto's van zijn hand die op de tentoonstelling hingen spat de liefde voor zijn kinderen af. Wanneer de tsarina in de buurt is worden de foto's geposeerder en stijver en zie je ook de kinderen braver en rechter de lens in kijken. Foto

afkomstig uit de Staatsarchieven van de Russische federatie.

Close-up uit *Un chien andalou* zoals het op een strooifolder van de Metrobioscoop staat, die ik zestien jaar geleden meenam en die ik nog altijd als een kleinood bewaar. Door de naam van de film kreeg Buñuel ruzie met de dichters - Lorca, Alberti - uit de Residencia, die meenden dat zij die hond uit het Zuiden waren.

De opengesperde bek is van de clubwolf van het Large Carnivore Project in
Transsylvanië. Het zinnetje 'Maar
grootmoeder, wat heeft u een grote
mond!' is niet uit de lucht gegrepen.
Foto is zomer 2000 gemaakt, met
gevaar voor eigen leven, door Lenny
Oosterwijk.

Ooit een fraaier beeld gezien van de
Hollandse pioniersgeest? Mijn zeven-
tigjarige oom in de woestijn nabij de
grens tussen New Mexico en Texas
(circa 1964) leunend op een Daffodil
pick-up. Chuck was in die tijd burgemeester van Horizon City, een nieuw te
stichten stad in de woestijn, tenminste,
dat schreef hij aan de familie. In het
land der blinden is éénoog koning.
Zeventig jaar oud bouwde hij daar
eigenhandig een huis, groef zelf de septic tank in. Het is niet
de Daffodil geweest waarmee hij zich te pletter reed tegen
'the center support of the Santa Fe railroad bridge' maar met
een 1960 Chevrolet-stationwagon.

Salvador Dalí, García Lorca en Pepín
Bello in 1925 voor het natuurhistorisch
museum dat pal onder de Residencia
de Estudiantes lag. Zonder de Angelsaksische invloed die via de
Residencia binnensijpelde zou het
surrealisme waarschijnlijk even star en
humorloos gebleven zijn als haar voor-
man, het lachebekje Breton. Daarbij
moet zowel de rol van Buster Keaton
als die van de dry martini niet worden
onderschat. Het recept voor een Buñuel-martini is ruwweg
dit: glazen, shaker en gin (bij voorkeur Tanqueray) dag van
tevoren in ijskast leggen. Temperatuur van het ijs moet ten
minste 20 graden onder nul zijn, volgens Buñuel is niets
erger dan een waterige martini. IJs met enkele druppels
Noilly Prat en een halve lepel angostura in de shaker shaken.
Vocht afgieten zodat alleen flinterdun vlies van Noilly Prat
op ijs achterblijft - het mag niet meer dan een schaduw zijn.
Dan gin bijschenken, beetje schudden en drinken.